AF362283

ESSAI

CHRONOLOGIQUE

SUR LES

MOEURS, COUTUMES ET USAGES ANCIENS

LES PLUS REMARQUABLES DANS LA LORRAINE,

PAR M. RICHARD,

MEMBRE DE LA SOCIÉTÉ D'ÉMULATION DES VOSGES
ET DE PLUSIEURS SOCIÉTÉS SAVANTES,
BIBLIOTHÉCAIRE DE LA VILLE DE REMIREMONT.

J'ai coupé dans le bois le plus touffu quelques matériaux grossiers qui, plus tard, recevront une forme convenable des mains d'ouvriers habiles. (GUILLAUME, moine de St-Denis : *Vie de Suger*, composée en 1152.)

Toute loi, toute coutume supposent un abus, un usage préexistant. (CAPEFIGUE.)

ÉPINAL,
CHEZ GERARD, IMPRIMEUR DE LA PRÉFECTURE.

1835.

ESSAI CHRONOLOGIQUE

SUR LES

MOEURS, COUTUMES ET USAGES ANCIENS

LES PLUS REMARQUABLES DANS LA LORRAINE.

L'année, sous les rois d'Austrasie de la race mérovingienne, commençait comme dans les royaumes de France ou de Neustrie, d'Orléans et de Soissons, le 1.er mars, jour fixé pour la revue des troupes et la nomination des magistrats chez les Germains et les Francs. *Kalendis martiis nominationes fieri.*

Sous les rois de Lorraine, de 855 à 959; sous les ducs bénéficiaires, ses premiers ducs, et sous les ducs héréditaires qui leur succédèrent, elle commença à Noël comme dans toute l'Allemagne. Cet usage de commencer l'année à cette époque existait aussi en France dès le règne de *Charlemagne*, et s'y maintint pendant le IX.e siècle. (Art de vérifier les dates.)

En Lorraine, dit dom *Calmet* (histoire, vol. V, livre 34), il naissait tous les jours des difficultés à cause de l'incertitude et variété du milliaire et du commencement de l'année, les uns la commençant le jour de Noël, le 25 décembre, les autres à l'annonciation de Notre-Dame, le 25 mars, et les autres le jour de Pâques communiant. Pour obvier aux inconvéniens de cette variété de dates, et pour introduire une parfaite uniformité dans les actes judiciaires et instrumens publics, le duc *Charles*, par un édit du 15 novembre 1579, ordonna qu'à l'avenir, en tous actes, registres, comptes, etc., le milliaire de l'année commencerait au premier jour de janvier suivant, que l'on dirait 1580, et défendit à tous juges, greffiers et autres personnes de dater autrement.

Des monumens historiques, conservés dans les archives du chapitre de Remiremont, prouvent qu'à l'époque où cette ordonnance fut rendue, l'année commençait dans cette ville et dans toute l'étendue de la juridiction du monastère le samedi avant Pâques, c'est-à-dire le samedi saint après vêpres, ou après la bénédiction du cierge pascal, comme cela avait aussi lieu dans une partie de la France orientale, à Metz et à Verdun.

A Saint-Dié, l'année commençait le 25 mars, jour de l'annonciation de Notre-Dame, ainsi qu'on peut le voir dans l'histoire manuscrite des grands-prévôts de cette église, composée par M. *de Riguet* (chapitre 17, pages 95 et 102). Ce ne fut qu'en 1586, dit cet historien, qu'il observa pour la première fois le changement fait dans l'église pour commencer à compter les années au premier jour de janvier; ainsi on n'exécuta que six ans plus tard, dans cette ville, les dispositions de l'ordonnance du duc *Charles III*, que nous venons de citer.

Dans l'archevêché métropolitain de Trèves, l'année commençait aussi le 25 mars comme à Saint-Dié.

505. Le concile d'Agde, tenu le 11 septembre de cette année, défend aux prêtres, diacres et sous-diacres d'assister à des repas de noces, et de bâtir des monastères de femmes près de ceux d'hommes.

517. Que les évêques, les diacres, les prêtres, dit un canon du concile tenu à Epaone, n'aient ni chiens de chasse, ni faucons; qu'un abbé n'affranchisse pas ses serfs, car il semble injuste que, lorsque les moines sont assujétis chaque jour au travail de la terre, leurs serfs puissent jouir du repos de la liberté. Si quelqu'un a tué son serf sans le consentement du juge, qu'il expie cette effusion de sang par une pénitence de deux ans (la même peine est imposée aux catholiques tombés dans l'hérésie). Les évêques et les clercs ne doivent plus recevoir de femmes passé l'heure de vêpres, et ces dernières ne doivent pas se livrer à la magie.

538. Si quelques clercs, comme, par l'instigation du diable, dit le concile tenu cette année à Orléans, cela est arrivé dernièrement en beaucoup de lieux, rebelles à l'autorité, se réunissent en conjuration et se font des sermens ou se donnent des chartes, que rien n'excuse une telle présomption, mais que l'affaire soit portée au synode. Que personne n'assiste aux offices avec des armes propres à la guerre. La première de ces défenses annonce que, déjà à cette époque, le peuple cherchait à s'établir en communes, pour être régi par des magistrats de son choix ; la seconde est renouvelée d'un canon d'un autre concile plus ancien.

554. On lit dans le récit que fait *Grégoire* de Tours des obsèques de saint *Gall*, évêque de Clermont en Auvergne, ville qui appartenait à cette époque au royaume d'Austrasie, que son corps, après avoir été lavé, fut revêtu de ses habits épiscopaux et mis dans un cercueil; que les évêques co-provinciaux furent invités à cette cérémonie, à laquelle *les femmes assistèrent en habits noirs, comme si elles eussent perdu leurs maris, et les hommes la tête nue, comme s'ils eussent perdu leurs femmes.*

567. Le concile tenu à Tours le 17 novembre de cette année, défend expressément aux moines de coucher ensemble, et il excommunie le juge qui refuserait de séparer un moine de la femme qu'il aurait prise après sa profession.

578. Celui d'Auxerre interdit les repas dans les églises, et défend d'y faire chanter des gens du monde et des jeunes filles : les prêtres ne devront, ni chanter, ni danser dans un festin.

581. Dans un autre concile tenu cette année dans la même ville, on défend de se déguiser le premier janvier en vache, en chèvre, *non licet kalendis januariis vitula aut cervolo facere*, de se livrer aux plaisirs et aux excès de la table que les saturnales permettaient encore chez les payens; d'acquitter des vœux à des buissons, à des arbres ou à des fontaines, de faire

des pieds d'hommes avec du linge pour les déposer sur les grands chemins (recueil de divers écrits sur l'histoire de France, par l'abbé *Lebeuf*, volume 1.er, pages 294—308).

585. Le concile de Mâcon défend aux évêques de faire garder leurs maisons par des chiens, usage tout-à-fait contraire à l'hospital té. C'est dans cette assemblée de prélats qu'un évêque peu galant, dont l'histoire n'a sans doute pas voulu conserver le nom, entreprit de prouver en forme qu'on ne pouvait ni ne devait nommer ou qualifier les femmes de créatures humaines; question qui fut vivement agitée pendant plusieurs séances, mais qu'après beaucoup de débats on finit par décider en prononçant solennellement que le sexe féminin faisait partie du genre humain.

589. Celui de Narbonne interdit aux clercs de porter des vêtemens de pourpre, de s'arrêter sur les places publiques, de s'y mêler aux conversations qui s'y tiennent, et de se réunir en conciliabules ou conjurations sous le patronage des laïques; défense renouvelée, selon le père *Labbe*, d'un canon du concile de Chalcedoine.

590. Il est défendu aux Juifs, sous peine d'amende, d'enterrer leurs morts avec des chants (concile d'Auvergne).

595. Une loi de *Childebert II*, roi de Bourgogne et d'Austrasie, abolit la coutume de la *Chrenechruda*, qui offrait encore à cette époque une ressource à celui qui n'était pas en état de payer la composition pour se soustraire à la peine capitale. Il devait d'abord renoncer à son bien, et, d'après les dispositions du titre 61 de la loi salique, intitulé *de Chrenechrudâ*, produire douze témoins pour attester qu'il avait tout donné et qu'il ne lui restait absolument rien. Il entrait ensuite dans sa maison, y prenait des quatre coins un peu de terre dans sa main, et se plaçant sur le seuil de la porte d'entrée, il regardait dans l'intérieur, et de sa main gauche jetait cette terre par-dessus ses épaules sur son plus proche parent. Si son père, sa

mère ou son frère avaient déjà payé, il devait jeter la terre sur la mère de sa sœur ou sur les descendans de cette sœur, c'est-à-dire sur les trois plus proches parens du côté de la génération d'où descendait sa mère ; ensuite étant en chemise, nu-pieds et tenant un pieu à la main, il était obligé de sauter dans cet état par-dessus la haie qui avoisinait sa maison, afin que les trois parens payassent la portion de la composition convenue ou prescrite par la loi, et si quelqu'un d'entre eux se trouvait trop pauvre et ne pouvait pas acquitter en totalité ce qui restait dû, il pouvait jeter la terre sur son co-parent plus riche, et ce dernier payait le tout. Si le meurtrier ne trouvait aucun de ses parens qui voulût payer pour lui cette composition, il avait encore la faculté de composer pour sa vie, c'est-à-dire qu'il pouvait se racheter en se livrant à la servitude.

742. Un concile germanique, vraisemblablement tenu à Ratisbonne le 21 avril de cette année, interdit aux serviteurs de Dieu l'usage de porter des armes, de combattre et d'aller à la guerre, excepté ceux qui suivent l'armée pour y faire l'office divin et y célébrer la messe. Le même concile exige que chaque préfet (colonel) ait un prêtre pour juger les péchés de ceux qui se confessent, et leur imposer des pénitences. Cet article annonce que déjà à cette époque il existait des aumôniers dans les armées.

753. Que celui qui a su, dit un canon du concile tenu cette année à Verberie par le roi *Pépin*, que celle qu'il épousait était de condition serve, la garde. Le serf qui a une concubine serve peut la quitter et en recevoir une autre de la main de son maître ; mais il fera mieux de la garder. Si un homme est obligé de fuir et que sa femme ne veuille pas le suivre, il peut, après avoir fait pénitence, se remarier. Si un serf et une serve sont séparés dans une vente et que l'église ne puisse les réunir, on doit les engager à demeurer dans la position où ils se trouvent. Celui qui permet à sa femme de prendre le voile des religieuses ne peut pas se remarier.

Celui qui aura commis un inceste avec une personne consacrée ou avec sa commère, sa marraine de baptême et de confirmation, avec la mère et la fille, les deux sœurs, sa nièce du côté de sa sœur et de son frère, sa petite-fille, sa cousine germaine ou issue de germaine, sa tante du côté paternel ou maternel, sera puni par une amende, s'il a de l'argent, et, s'il refuse de se corriger, on devra lui refuser toute espèce de nourriture. Les ecclésiastiques qui se rendraient coupables de tels faits, s'ils sont constitués en dignités, perdront leurs rangs et seront frappés de verges, ou mis en prison, s'ils appartiennent à un ordre inférieur.

Si un particulier veut plaider sa cause avant de l'avoir proposée au comte et aux officiers de justice dans les plaids ordinaires, ou bien si, l'ayant proposée, il ne veut pas s'en rapporter à leur décision, il sera frappé de verges.

755. Comme on a persuadé au peuple, dit le 14.e canon du concile tenu à Varn le 11 juillet de cette année, qu'il ne pouvait, le dimanche, aller à cheval, se servir de bœufs ou de voitures pour voyager, ni préparer quoi que ce fût pour manger, ni approprier sa personne ou son habitation, et que ceci est plus judaïque que chrétien, les pères décident qu'on pouvait faire le dimanche ce qu'on avait toujours fait ; ils pensent néanmoins qu'on doit s'abstenir du travail de la terre pour avoir plus de facilité de venir à l'église, et que, si quelqu'un fait des œuvres interdites, son châtiment n'appartient point aux laïcs, mais aux prêtres. Le même concile exige que les laïcs nobles ou non nobles se marient.

769. On annonçait à cette époque dans les couvens les veilles de fêtes en frappant sur une pièce de bois avec une masse. C'est ce que nous apprenons d'une charte donnée par *Chrodegand*, évêque de Metz, en faveur de l'abbaye de Gorze, dans laquelle on lit ces mots : *debent omni nocte vigilare ipsosque cum clave invicem notificare.*

789. *Charlemagne*, dans un capitulaire de cette

année, veut que l'on condamne les magiciens, les enchanteurs, ceux qui se vantent d'exciter les tempêtes et de donner des ligatures magiques, ceux qui tirent des augures des arbres, des fontaines et des rochers. On ne lira pas et on ne recevra pas pour certain des contes faux, ni *certaines lettres prétendues tombées du ciel*. Nul ne tirera dans le psautier ni dans l'évangile pour deviner l'avenir. On ne pendra pas de billets aux perches pour empêcher la grêle, *nec chartas per perticas appendent propter grandinem*. Cette défense est curieuse après l'invention moderne des paragrêles au moyen de perches aiguës surmontées d'un fil conducteur.

Le même capitulaire exige que les abbés, abbesses, n'aient ni couples de chiens, ni faucons, ni vautours, ni jongleurs. Cette dernière disposition est renouvelée d'un canon du concile d'Epaone de 517, cité précédemment.

794. Celui qui fut tenu cette année à Francfort veut que dans les monastères on ne choisisse pas de celleriers avares; il interdit aux abbés l'usage de priver de la vue ou d'estropier leurs moines, défend à ceux-ci et aux ecclésiastiques d'aller boire au cabaret et *d'invoquer de nouveaux saints*, et ordonne la destruction des bois sacrés.

813. Le concile tenu à Mayence le 9 juin de cette année, recommande aux prêtres d'enseigner au peuple le symbole et l'oraison dominicale au moins en langue *romane rustique* ou en langue *théotisque*, quand on ne pourra l'apprendre autrement. Ce canon annonce que déjà la langue latine avait cessé d'être la langue vulgaire.

Un autre concile, tenu pendant la même année à Tours, prescrit aux évêques de lire et, *s'ils le peuvent*, de retenir par cœur l'évangile de Saint-Paul; de ne pas s'amuser des jeux des histrions, et de prêcher aux prêtres de les fuir ainsi que les plaisirs de la chasse.

816. Que les abbesses, ordonne le concile d'Aix-la-Chapelle, soient soumises aux évêques et ne sortent

pas sans leur permission. On remarque, dans un grand nombre de canons d'autres conciles, que ce n'était pas sans beaucoup de difficultés qu'on était parvenu à leur faire garder la clôture et à les empêcher de recevoir des hommes, des moines, aux heures interdites et sans nécessité.

835 ou 840. *Richer*, dans sa chronique de Senones, livre II, chapitre 18, fait une peinture affreuse du désordre qui régnait à cette époque dans ce monastère, alors gouverné par l'abbé *Adelard*. Cette abbaye, qu'on avait regardée depuis sa fondation comme un jardin de délices et une retraite de saints, ne le fut plus que comme une caverne de loups ravissans; chacun se croyait permis de prendre et d'envahir les biens du monastère, et personne ne s'opposait aux ravisseurs. Les religieux, au lieu de travailler à leur sanctification, se plongeaient dans toutes sortes de désordres et de dissolutions. *Videntes monachi omnia sibi licere, licet non omnia expedirent, statuunt sibi vivere, non Christo. Quæsivit sibi quisque domunculam, ubi non regulariter, sed voluntate propriâ sibi conversari quiret : fit congregatio taurorum in vaccis populorum.*

855. On blâme, dans le concile de Valence de cette année, la coutume du serment parce qu'elle entraîne nécessairement un parjure. On blâme également le combat judiciaire, et on refuse à celui qui y succombe la sépulture chrétienne.

868. Le 15.ᵉ canon du concile tenu cette année à Worms, prescrit que, quand un vol sera commis dans une église et qu'on n'en connaîtra pas l'auteur, l'abbé dise ou fasse dire une messe à la suite de laquelle tous les moines communient, afin de découvrir le voleur par l'épreuve du corps de Notre Seigneur. On a une infinité d'exemples que cette sorte d'épreuve par l'eucharistie était déjà en usage dans l'église d'occident.

Le 85.ᵉ canon du même concile autorise l'administration du sacrement de pénitence et d'eucharistie à ceux qui sont condamnés au dernier supplice.

876. Les pères du concile, assemblés à Pontion le

21 juin, veulent que les comtes et les évêques, dans leurs tournées, ne logent pas, à moins d'y être priés, chez les pauvres gens, disposition qui, aujourd'hui, serait pour le moins fort inutile. Le même concile interdit le pillage des meubles de l'évêque après sa mort. Nous avons vu de nos jours qu'on avait quelquefois oublié cette défense.

8[illegible]. Le 22.ᵉ canon du concile tenu à Tribur, entre Mayence et Worms, ordonne l'épreuve du fer chaud dans les causes criminelles où l'on n'aura point de preuves du crime.

A cette époque, on se purgeait d'un délit dont on était accusé par différentes épreuves, qui avaient lieu avec beaucoup de solennité et en présence d'un grand nombre de personnes.

L'épreuve de l'eau bouillante, connue des anciens auxquels on en doit l'usage, se faisait ainsi en France: l'accusé, après avoir jeûné trois jours au pain et à l'eau, entendait la messe, et avant de recevoir l'eucharistie, attestait par serment son innocence; conduit à l'église où devait se faire l'épreuve, on lui jetait de l'eau bénite et il devait en boire. Pendant cette opération, les prêtres et le peuple récitaient les prières qui étaient d'usage. L'accusé ensuite plongeait le bras nu dans une cuve remplie d'eau bouillante, au fond de laquelle il devait prendre un anneau béni qui y était déposé. Le juge, en présence des prêtres et des assistans, enfermait le bras du patient dans un sac qu'il scellait de son cachet, et si, trois jours après cette opération, on ne remarquait sur le bras aucun signe de brûlure, l'innocence du prévenu était reconnue.

Celle du fer chaud consistait à faire plus ou moins rougir une barre en fer que l'accusé, après les mêmes cérémonies, devait soulever deux ou trois fois, ou à placer sa main dans un gantelet de fer également plus ou moins rougi, suivant la présomption du crime. On enveloppait aussi sa main dans un sac, sur lequel le juge apposait pareillement son sceau qu'on levait après un semblable délai. Si aucun indice de brûlure n'était reconnu, l'accusé était absous.

On se disculpait encore par l'épreuve de l'eau froide, qui consistait à mettre le patient dans une cuve remplie d'eau ; s'il surnageait, il était déclaré coupable, et au contraire, s'il allait au fond il était absous ; ce qui était une alternative assez fâcheuse. Cette épreuve est celle qui a subsisté le plus long-temps, et dont on s'est beaucoup servi contre les personnes accusées de magie et de sorcellerie, gens à cerveaux brûlés auxquels un pareil remède pouvait ne pas être sans efficacité.

On se justifiait aussi par le duel, ou par soi-même, ou par un champion, en champ clos ; bien entendu que le plus faible était réputé le coupable :

La raison du plus fort est toujours la meilleure.

889. On trouve à cette époque, dans notre histoire de Lorraine, le premier exemple, je crois, de l'application dans cette province d'une peine très-humiliante, à laquelle on donnait le nom d'*angoria*. Elle consistait dans l'obligation, imposée à celui qui était condamné à la subir, de porter sur ses épaules un chien, ou une selle de cheval, ou un soc de charrue jusqu'à une distance déterminée. Voici ce que nous apprend à ce sujet dom *Calmet* dans sa dissertation sur l'ancienne jurisprudence lorraine.

« Les comtes *Gerard*, *Étienne* et *Malfrède* ayant » exercé de grandes violences contre l'église de Toul » et contre l'abbaye de Saint-Evre dont ils étaient » avoués, furent condamnés par *Arnould*, roi de » Lorraine, à porter *angarias*, apparemment un » chien ou une selle de cheval, jusqu'où était » *Arnald*, évêque de Toul, à un mille de là. C'était » la coutume, ajoute le savant abbé de Senones, de » faire porter un chien jusqu'à certaine distance par » les nobles, pour les punir de quelque action de lâcheté » ou d'injustice commise par eux. »

Cette peine féodale portait en Allemagne le nom de *harnescar*, la hachée, ou de *cynophorie;* elle y était fort ancienne. *Othon* de Freissingen en parle dans sa chronique où on lit ces mots : *nobilis canem, ministerialis sellam, rusticus aratri rotam gestare cogitur*. Ce qui annonce que les habitans de la campagne pouvaient être condamnés à subir cette peine aussi bien que les hauts barons.

895. Un canon du concile tenu cette année à Tribur, près de Mayence, dit que c'est un sacrilége qui a besoin de pénitence que d'entrer dans une église avec le glaive hors du fourreau. On lit dans un autre canon de la même assemblée de prélats que, lorsque la nécessité l'exige, on peut être enterré hors de la paroisse de l'église cathédrale, mais qu'on doit alors être enterré où l'on paie la dîme; *qu'il est affreux et interdit de faire payer la terre de la sépulture*, et qu'aucun laïque ne sera enterré dans l'intérieur des églises.

909. Le concile de Troli, près de Soissons, attribue au refus que font certains propriétaires d'acquitter la dîme, les dévastations des payens (probablement les Huns qui à cette époque ravageaient la France orientale) et l'intempérie des saisons. Il défend les mariages secrets, d'où il peut, dit-il, résulter beaucoup de désordres qui donnent naissance à des aveugles, des boiteux, des bossus.

910. On lit dans un manuscrit conservé dans les archives du chapitre de Remiremont, que le jour où l'on fit la translation du corps de saint *Romaric*, de saint *Amé* et de saint *Adelphe*, du monastère du Saint-Mont où ils étaient déposés, dans l'église de cette ville, des pigeons qui avaient un colombier sur cette montagne, « comme s'ils eussent du regret et sentiment d'être privés de la présence de ces saints personnages, accompagnèrent la procession, voltigeant doucement sur les châsses, sans dévancer ni abandonner le cortége; qu'arrivées près de la porte de l'église, les colombes, petites innocentes, descendirent, marchèrent à pied et entrèrent dans le sanctuaire et s'y arrêtèrent, jusqu'à ce que les reliques furent colloquées dans les lieux et places qui leur avaient été préparés, qu'elles s'envolèrent ensuite et restèrent autour de l'église sans vouloir retourner au Saint-Mont; que les religieux et religieuses, émerveillés et attendris

d'un spectacle si nouveau, prirent le plus grand soin de nourrir ces petites bestielles, en leur assignant dans le partage des prébendes une portion particulière qu'on appelle le bled des prébendes des colons (pigeons) de saint *Romaric.* »

La race des oiseaux s'étant perdue, on distribua la portion de bled consacrée à leur nourriture aux prébendiers du chapitre, qui devinrent par cette transmission les pigeons des dames chanoinesses de Remiremont.

1038. *Gerard I*, comte d'Alsace, des deux Sargaw et de Remiremont, ayant éprouvé quelques difficultés de la part d'*Herric* ou *Henriette*, abbesse du chapitre de cette ville et sa cousine, sur de certains droits qu'elle lui contestait, en appela à l'arbitrage de *Brunon*, évêque de Toul, parent des parties. Le prélat décida que le comte *Gerard* céderait à l'abbesse les droits qu'il percevait sur chaque feu ou conduit du village de Docelles, et qui consistaient dans une demi-poule, une livre de bacon (lard ou jambon), une livre de farine, une demi-livre de truite, enfin un valet, une servante et un chien de chasse pris sur toute la communauté. Ce prince, en consentant à l'abandon de ces redevances, y mit pour condition qu'en retour la dame abbesse et ses sœurs feraient faire annuellement un service pour lui et pour le repos des âmes d'*Adalbert* et de *Judith*, ses père et mère.

1044. Dans l'acte de confirmation de la fondation du prieuré de Deuilly, fait cette année par *Brunon*, évêque de Toul, il est parlé d'une rétribution qui se payait à l'église pour la sépulture des enfans décédés dans les huit jours qui suivaient celui de leur baptême, et auxquels on donnait le nom d'*albati*, parce qu'à cette cérémonie on leur remettait une robe blanche qu'ils devaient porter pendant un espace de temps déterminé. Depuis, on mit à ces enfans un bonnet blanc, et le rituel de l'église avait une formule particulière de prières que le prêtre récitait en le leur donnant. A Bar-le-Duc, on faisait une petite fête parmi les enfans du voisinage, lorsqu'au bout de huit jours on ôtait le bonnet à celui qui avait été récemment baptisé. Cette fête se nommait *la fête des aubottes;* on y jetait en l'air le bonnet de ces enfans, et on croyait qu'ils jouiraient d'une longue existence, s'il s'élevait bien haut. Cet usage avait aussi lieu dans quelques localités de la Picardie, où cette cérémonie est connue sous le nom de *désaubage.*

A la même époque, les parens d'une personne décédée qui faisaient un repas de famille (le *cœna funebris* des Romains) devaient une aumône, ou un plat, ou un service au curé ou au religieux qui le remplaçait.

1046. *Godefroi,* duc bénéficiaire de Lorraine, ayant pris la ville de Verdun, mis le feu à l'église cathédrale de Notre-Dame et pillé le trésor, en fit une pénitence publique; puis, disent les chroniques, demi-nu et déchaussé, rampant sur les genoux et les coudes, il vint de l'extrémité de la ville jusqu'au grand autel de cette église, et y reçut publiquement la discipline. Les mêmes annales ajoutent que quand on rebâtit cet édifice, on vit ce prince se mettre au rang des maçons, portant lui-même le mortier et les pierres, et que, comme il était ordonné dans la pénitence publique de se couper les cheveux, *Godefroi* ne put se racheter de cette humiliante cérémonie qu'en donnant une somme considérable d'argent à l'église.

1050. Dans une espèce de code publié par *Gerard d'Alsace,* premier duc de Lorraine, on voit qu'on ne pouvait boire de vin dans les tavernes que le dimanche, après vêpres, et dans un autre article qu'il était expressément défendu à un homme d'épouser une femme qui serait sa parente.

On trouve dans le discours que *Pierre,* diacre, prononça au nom du pape *Léon IX,* en concile tenu l'année précédente à Rheims, plusieurs traits qui prouvent quelles étaient à cette époque les mœurs du clergé et des laïques. Il accuse le premier en général de simonie, les moines et les prêtres d'abandonner les habits religieux pour se livrer au métier de la guerre et au pillage ; il leur reproche de détenir injustement les pauvres dans leurs prisons, et se plaint de ce que les seigneurs laïques s'emparent des églises, des autels, et en perçoivent les revenus ; qu'ils établissent de mauvaises coutumes sur le peuple, et des exactions rigoureuses jusque dans les enceintes des églises ; de ce qu'ils abandonnent leurs femmes légitimes pour commettre des adultères ; enfin il accuse les uns et les autres, c'est-à-dire les prêtres et les laïques, du crime de sodomie.

1051. Une dame nommée *Ermengarde* se voue au service de Saint-Dié, elle et toute sa postérité, en coupant une boucle de ses cheveux qu'elle dépose sur l'autel de ce saint Elle charge tous ses descendans de porter, chaque année, à l'offrande de la fête du même saint, les hommes un cierge de la valeur de dix deniers, et les femmes un denier.

Cet usage, dit dom *Calmet*, est fort ancien ; une matrone appelée *Gifa* se donna aussi avec toute sa race à l'abbaye de Saint-Mihiel, *pro testimonio denario uno monetæ perforato, ibi redimicula posuit capitis et ibidem reliquit*, et en témoignage y laissa sa chevelure. Les anciens Grecs, ajoute le même historien, consacraient les cheveux des enfans de condition à *Apollon* de Delphes, les Athéniens les consacraient à *Hercule*, les Romains à *Esculape*, à *Jupiter* ou à *Apollon*. Les Vestales pendaient les leurs à un arbre nommé *arbor capillaris*. Dans l'ancien testament, les Nazaréens jetaient leurs cheveux sur l'autel (*Noëmi*, VI, 18). Dans l'église, on coupe en cérémonie les cheveux aux jeunes clercs destinés au service des autels.

1070. On lit dans un diplôme de cette année, de l'empereur *Henri IV*, que, lorsque l'abbesse de Remiremont viendra à Metz pour lui demander justice, elle lui devra un service consistant en 80 muids de froment à la mesure du monastère, 400 muids d'avoine, dont le quart sera destiné à la nourriture des chevaux de cette dame quand elle fera le voyage; 60 cochons, 20 vaches, 4 bacons gras (jambons), 4 verrats, 400 poulets, 7 muids de la boisson des sœurs (de la bière ou cervoise), du poisson, des fromages, du lait, du miel, de l'huile, des œufs, des vases (scutelæ), du charbon, 12 tables de cire pour le luminaire, 7 livres de poivre et 7 charretées de vin. Voilà une justice qui était assez généreusement payée!

1074. On partageait encore à cette époque le jour en 12 heures, et cette division, qui avait aussi lieu pour la nuit, subsistait dans toutes les saisons. La première heure commençait à six heures du matin et la sixième à midi.

1150. *Mathieu I*, duc de Lorraine, dans une ordonnance de cette année, veut que les juges et ministres subalternes de la justice ne reçoivent plus aucun émolument des procès qui dureront plus de 26 jours; que tout homme qui insultera son voisin encoure vergogne, c'est-à-dire, qu'il soit déshonoré. Cette disposition était destinée à bannir du barreau une foule de demandes en réparations, que la méchanceté des uns et la trop grande susceptibilité des autres rendaient sans doute trop fréquentes à cette époque.

1152. Dans une sentence rendue par *Hélinus*, archevêque de Trèves, pour rétablir la bonne harmonie entre *Mathieu I*, duc de Lorraine, et *Judith*, abbesse de Remiremont, il est convenu que le prince renoncera,

1.° Aux tailles que lui et ses officiers avaient imposées sur les sujets de l'abbaye;

2.° Que les clercs et les ecclésiastiques qui desservent le monastère ne seront plus inquiétés ni dans leurs personnes, ni dans leurs biens, et qu'ils jouiront d'une honnête liberté.

3.° Le duc n'attirera plus les sujets de l'abbaye pour plaider hors de leur ban, c'est-à-dire, qu'il ne les distraira plus de leurs juges naturels.

4.° Il ne prendra plus d'avoine dans les seigneuries du monastère, sinon pour la nourriture de ses chevaux, et avant que la dame abbesse ait pris celle qui était nécessaire pour faire la bière du couvent.

BIBLIOTHÈQUE NATIONALE R.F. IMPRIMÉS

5.° Il ne prendra également plus à l'avenir les vaches que ses gens enlevaient le jour de Noel dans l'étendue de la seigneurie des dames.

6.° Le duc seul pourra vendre du vin à Remiremont, chaque trois ans, mais il ne le vendra qu'une obole de plus que le prix ordinaire. Ce vin sera tiré des caves de l'abbaye.

1160. Dans un accord fait ensuite de quelques difficultés survenues entre l'abbaye de Mureau et celle de Vaux, on décida que si des religieux de l'un ou l'autre monastère contrevenaient aux articles convenus, ils seraient obligés de se rendre à l'abbaye plaignante; *qu'ils y entreraient pieds nus et tenant en main des verges, dont l'abbé ou le supérieur pourra les frapper, s'il le juge à propos;* que pendant la réfection, ils devront se coucher au milieu du réfectoire, où ils jeûneront au pain et à l'eau, et qu'ils continueront ce jeûne pendant une année dans leur monastère.

1172. *Hadwige*, abbesse du monastère d'Andlau, en Alsace, en exemptant par une charte de cette année les religieux d'Étival de certaines servitudes auxquelles ils étaient soumis envers son abbaye, se réserve néanmoins le droit, dans le cas où elle serait obligée d'aller à la cour de l'empereur, d'y conduire avec elle le seigneur abbé. Sûrement à une époque plus rapprochée de nous, il ne fallait pas de chartes pour obliger des moines galans à voyager avec des abbesses craintives; était-ce alors pureté de mœurs ou besoin de protection de la part de celles d'Andlau? C'est malheureusement ce que l'histoire nous laisse ignorer.

1176. Le concile tenu cette année à Rheims défend aux clercs la superfluité, la variété des couleurs et les découpures dans les habits. Il exige que les religieuses de l'ordre de saint *Benoît* conservent la modestie dans leurs vètemens et demeurent assidûment dans leurs cloîtres, et il interdit aux gentilshommes ou chevaliers de faire des tournois ou des combats de cérémonie, d'où résultent souvent des meurtres ou des blessures mortelles.

1179. Dans une vie manuscrite de *Simon II*, duc de Lorraine, souvent citée par dom *Calmet*, on voit que ce prince défendit sous les peines les plus sévères la coutume que les seigneurs de cette province avaient de prendre une certaine herbe nommée *gants de Notre-Dame* (la digitale) et des fruits des arbres, qu'ils élevaient en l'air comme signes de guerre, pratique ensuite de laquelle ils se permettaient d'insulter et d'attaquer qui bon leur semblait. *Simon*, en interdisant à ces gentilshommes turbulens et querelleurs le port d'armes hors le cas de légitime défense, prononça contre les infracteurs la peine de dix pièces d'argent d'amende, indépendamment de celle de la hachée (harnescar), en usage alors dans toute l'Allemagne contre tous les perturbateurs de la paix publique, et qui consistait, comme nous l'avons dit précédemment à l'article de l'année 989, à porter sur ses épaules, à une certaine distance, le gentilhomme un chien, une selle, l'ecclésiastique un missel, le serf un soc ou une roue de charriot ou de charrue.

1195. Ce fut pendant cette année que *Bertram*, évêque de Metz, après avoir dit la messe et prêché dans sa cathédrale, donna en grande cérémonie et en présence du peuple, le camail, le bourdon et la malette (espèce de gibecière ou de poche dont les bergers se servaient pour renfermer leur provision quotidienne) à quinze ecclésiastiques qui venaient de se croiser, et auxquels on promit le revenu entier de leurs prébendes pendant leur absence. Ce prélat ceignit ensuite l'épée à douze chevaliers et mit le bâton à la main à trente-deux bourgeois qui devaient également faire le voyage de la terre sainte.

1197. La licence était telle à cette époque, dans la Lorraine et dans les provinces limitrophes, que la plupart des procès ne se terminaient qu'à coups de mains. Ces combats, dit dom *Calmet*, avaient lieu dans la cour du palais épiscopal, ou devant l'hôtel-de-ville, en présence des officiers de l'évêque, qui en étaient les juges et punissaient le vaincu par la mutilation de quelque membre ou par une amende, suivant le cas dont il était question. Il existe encore, dans les cabinets de quelques personnes curieuses de recueillir ces monumens de notre histoire nationale, d'anciens registres indiquant l'ordre suivi dans ces combats, les peines afflictives et pécuniaires imposées à ceux qui n'avaient pas été les plus forts ou les plus adroits, c'est-à-dire aux vaincus.

1201. La chronique de l'abbaye de Senones, que nous avons déjà citée (page 10), parle d'un abbé *Conon*, qui siégea de 1201 à 1206, et qui vivait tout-à-fait en séculier, quoiqu'engagé depuis plusieurs années dans les ordres. Il portait ses éperviers et ses autres oiseaux de chasse dans le cloître et même jusques dans le chœur de son église, ce qui, ajoute le bon et studieux *Richer*, auteur de cette chronique, ne causait pas un petit scandale et de continuelles distractions aux jeunes moines et aux jeunes novices de ce monastère.

1219. Voici l'opinion que les Français avaient des Lorrains à cette époque, suivant le moine *Guillaume-le-Breton*, dans son poëme de la Philippide, inséré dans la précieuse collection des mémoires relatifs à l'histoire de France publiée par M. *Guizot*. « *Thiébaut*, » dit le poëte, amenait à la guerre ses Lorrains qui » déploient leurs bannières dans les airs, et qui, ayant » toujours à la bouche le langage d'hommes simples, » sont loin cependant de se montrer dans leur con- » duite dépourvus de finesse. »

Qui cùm simplicibus soleant sermonibus uti,
Non tamen in factis ità delirare videntur.

1223. *Mathieu II*, duc de Lorraine, cède, en réparation du tort qu'il avait fait au chapitre de Remiremont et pour le repos de son âme, le droit de l'oiseau de proie qu'il avait de coutume ancienne l'usage de prendre au Val-d'Ajol, à moins, dit-il dans l'acte rédigé à cet effet, qu'il ne se trouve en personne dans les forêts de cette commune.

1232. Des canons du concile provincial tenu cette

année à Trèves, et auxquels assistèrent les évêques diocésains de Metz, de Toul et de Verdun, défendent aux clercs bénéficiers ou constitués dans les ordres de se livrer à aucun trafic. On exige que l'habit des prêtres soit long et fermé de tous côtés; que quand ils iront porter l'eucharistie, s'il est nécessaire de prendre un manteau contre la pluie (cappa pluvialis) ou une capote, elle soit sans manches et laissée à la porte en entrant dans la maison du malade.

On défend aux prêtres de porter des boucles ou fermails d'argent et des courroies argentées, des cordons avec glands à la tunique et à l'habit qui la couvre; aux clercs d'entrer dans les cabarets, à moins qu'ils ne soient en voyage; ces derniers devront s'abstenir, sous peine de la privation de leurs bénéfices, des jeux de hasard, de dés, de boule.

Les curés qui ont 8 onces d'argent (2[f] 14[s] 6[d] au prix du marc d'argent de cette époque, et à peu près 54[f] 75[c] d'aujourd'hui) entretiendront un écolier ou *maître d'école* lettré pour leur servir dans leurs offices.

Les adultères hommes et femmes seront obligés de faire une pénitence publique, et de porter sur leurs épaules une cruche et un bâton à la main; ils seront, pour leurs habits et leur nourriture, comme ceux qui font la pénitence de 40 jours.

Dans un chapitre général des bénédictins, tenu dans la même ville et vers la même époque, on arrêta, sur le rapport des visiteurs qui avaient parcouru tous les diocèses de la Lorraine, que les moines ne porteraient ni chaperons, ni chappes, c'est-à-dire, ni chapeaux, ni frocs, qu'ils ne soient de couleur noire; que l'on n'introduirait dans les cloîtres aucune femme, à moins *qu'elle ne soit de telle qualité qu'on puisse honnêtement l'empêcher*; que les souliers soient ronds et sans affectation notable; que l'on fasse la barbe de quinzaine à autre.

1234. *Frédéric*, comte de Toul, affranchit cette année les bourgeois de Mirecourt, et donne, pour

BIBLIOTHEQUE ROYALE

garant de sa promesse, le seigneur *Renard*, son frère. On remarque dans la charte rédigée à ce sujet, qu'il parle comme souverain et maître absolu de ses sujets. Il taxe ce que chacun d'eux lui doit par année pour chaque cheval, vache, veau, poulain, chèvre, tant pour les simples manœuvres, que pour les amendes champêtres. Si un bourgeois de Mirecourt, commandé par son seigneur pour aller hors de la ville, soit pour faire la petite guerre, *pro prædâ faciendâ*, ou pour autre chose semblable, méprise d'obéir, il paiera 12 deniers d'amende. Il devra servir dans les guerres privées, le premier jour à ses dépens, les jours suivans à ceux du comte; en cas d'alarmes où il faudra sortir de la ville pour repousser l'ennemi, celui qui négligera de sortir de la ville en armes devra 12 deniers d'amende.

Il règle les corvées ordinaires dues au seigneur, la garde due à la ville pendant la nuit, au nombre de quatre chaque nuit. Quand le comte viendra à la ville les bourgeois fourniront le foin pour ses chevaux la première nuit; les jours suivans on lui donnera pour la nourriture de chaque cheval une obole. En temps de guerre, ils fourniront un plus grand nombre de gardes. Si l'envoyé du seigneur arrivant en ville ne trouve point de poules à acheter, il en tuera tant qu'il voudra en payant pour chaque poule deux deniers. Il ne permet à aucun de ses gens d'appeler en duel un bourgeois de Mirecourt. Si l'on trouve un homme dans le jardin d'un autre, il perdra l'oreille ou paiera cinq sols. Un pêcheur qui pêche à la grande nasse doit au seigneur, chaque semaine, un service de poissons. Il n'est permis de vendre du vin pendant le mois de mai qu'en payant certaine somme au seigneur; il en excepte le prêtre ou le curé, les gentilshommes et les personnes de la famille du seigneur, c'est-à-dire ses officiers, ses domestiques et ses gens. (dom *Calmet*, notice de la Lorraine).

1255. Les ducs de Lorraine attachaient un très-grand prix à la conservation, dans l'étendue de leurs domaines, des oiseaux destinés à la chasse au vol, ainsi que le prouve encore une lettre de cette année du duc *Ferri III*, dans laquelle on lit : « Nous avons les » aires toutes des oiseaux par-devant nommés en telle » manière que si les aires iert destourbei (étaient » volés) par aucun homme, et amende était levée, » Saint-Pierre (le chapitre de Remiremont) y aurait » la moitié et nous l'aultre ; li forestier doient herchier » (chercher) par lor paiis toutes les aires et montrer » par bons témoigniaiges qu'ils les ont bien herchiers, » et fait quand qu'ils en doient, et se aulcun y faut » (manque) sans sa faulte (sans que cela soit de sa » faute) on ne l'en peut demander, maisque (seulement), un ostour ou vingt sols, lequel qu'il porroit » mielz (mieux) avoir. »

Le même soin est exprimé pour la garde de ces oiseaux de chasse dans la charte des droits de la mairie de Bruyères, de l'année 1340. « *Item*, dit cet acte, les » prud'hommes puellent (peuvent) aller aux boix » pour faire tout leur profist en telle manière qu'ils » ne fuissent (fassent) domaiges aux oysels de mon» seigneur le duc. »

1256. Le duc *Ferri III* affranchit cette année les habitans de Neufchâteau sous les conditions suivantes : chaque famille sur laquelle il avait droit de jeter la taille, lui rendra par an six deniers pour chaque livre de meubles, c'est-à-dire, autant de six deniers que l'habitant aurait de pièces de meubles valant une livre ; il en exempte toutefois les habits, les armes, les *aisemens* ou ustensiles de ménage. De plus il exige deux deniers de chaque livre de terre ou d'héritage, c'est-à-dire, de chaque terre valant une livre (librata terræ). La vaisselle d'or et d'argent paiera suivant l'estimation qui en sera faite. Il ne sera permis à aucun sujet du duc d'aller s'établir à Neufchâteau sans sa permission.

Il se réserve la justice et la garde de ses églises, de leurs biens, de ses chevaliers, de ses fiefs, de ses Juifs et de ce qui leur appartient. La communauté de Neufchâteau élira, chaque année, treize hommes pour gouverner la ville et rendre la justice; et les treize hommes en éliront un d'entre eux pour maire. Ils feront serment de bien et fidèlement gouverner la ville et d'y conserver les droits du duc. *Ferri* se réserve aussi son *ost et sa chevauchée*, ou le droit de commander des milices à pied et à cheval dans les besoins; en sorte néanmoins que les hommes qui auront soixante ans ou plus, ne seront pas tenus d'y aller en personne; mais s'ils ont du bien, ils y enverront un homme à leur place, faveur que l'on accorde aussi aux marchands et aux changeurs pendant la durée des foires de Champagne.

On ne pourra prendre en gage ni saisir les chevaux de monture ni les armes des bourgeois; et celui qui aura vaillant vingt livres *aura arbalète en son hôtel et quarreaux* (flèches, dards carrés) jusqu'à cinquante. Si quelque bourgeois de Neufchâteau est pris ou arrêté en quelque endroit pour dettes du prince, le duc le rachètera et délivrera de bonne foi. Et à l'égard des amendes, on les paiera comme sous le duc *Ferri II:* celui qui frappera un homme paiera cinq sols, s'il lui fait sang, quinze sols : celui qui fera sang à armes émoulues, soixante sols; s'il fait plaie ouverte avec le couteau, il sera traité comme meurtrier. Si quelqu'un défie un autre, et qu'il fasse battre un champion en champ clos, celui dont le champion sera vaincu paiera cent sols d'amende, et le champion demeurera à la merci du seigneur. (dom *Calmet*, hist. de Lorraine).

1263. Le même duc *Ferri III* affranchit encore cette année les habitans de Montfort, Bruyères, Châtenois et Arches, et les soumet à la loi de Beaumont.

On remarque dans cette loi, donnée en 1182 à la petite ville de ce nom fondée en Argonne par *Guillaume*, archevêque de Rheims, un grand nombre de dispositions qui montrent le besoin de la légalité au milieu d'une cité naissante et composée d'élémens si divers; nous citerons seulement les suivantes comme peintures de mœurs dans cette dernière moitié du 13.e siècle.

S'aulcun dit lait à aultre et il s'en claime (plaint), et il le peut prouver par le témoignaige de deux bourgeois, cil de cui il se sera clamei (celui de qui il se sera plaint) sera à cinq solz (d'amende), à l'arcevêque quatre solz et demi, et au mayeur six deniers.

Et ce cil qui clamei se sera, n'a témoignaige, li autre se purgera par son serment seul.

Femme qui dira lait (laide) à aultre femme, sil est preuvé par témoignaige de deux hommes ou de deux femmes, elle payera cinq solz; au seigneur, quatre solz; au mayeur, six deniers, et à celle à laquelle elle aura dit lait six deniers. *Et selle ne veut payer l'argent, elle portera la pierre le dimanche à la procession en peure sa chemise* (en pure chemise).

Se la femme dit lait à homme et sil est prouvé par loyaulx témoignaiges, elle payera cinq solz, et se li homme dit lait (laide) à femme, il payera cinq solz, sans devise faire.

1269. *Ferri*, fils de *Ferri*, comte de Toul, affranchit les bourgeois de Charmes et règle les redevances qu'ils lui doivent payer chaque année, savoir : cinq sols par tête pour ceux qui habitent leur propre maison et la moitié de cette somme s'ils ne sont que locataires; tant par bête tirante, tant par vache, tant par veau.

Le bourgeois commandé pour aller à la *chevauchée* du seigneur, doit se défrayer le premier jour et la première nuit; les jours suivans il est défrayé par le seigneur.

Si, étant commandé pour aller hors de la ville à la suite de son seigneur, *pour faire proie ou pour faire semblant chose*, il fait refus d'obéir, il devra payer une amende de douze sols, etc.

On sait que les mots *aller à la proie* ou *faire proie*, que l'on remarque dans un très-grand nombre de chartes du moyen âge, signifiaient l'action d'un seigneur féodal allant s'embusquer sur les chemins, au détour d'une forêt, pour piller les voyageurs et les marchands ou les mettre à rançon. Les nobles dans ces expéditions s'équipaient à la légère, comme pour la chasse du vol ou des oiseaux; de l'identité d'équipages servant à cette chasse et à ces expéditions contre des personnes est venu, suivant le dictionnaire de l'encyclopédie cité par M *Dulaure*, dans son histoire de Paris, notre mot français, voleur....

1279. *Agnès de Salm*, abbesse de Remiremont, dans son testament fait au mois d'octobre de cette année, lègue à *Marguerite de Bayon*, secrète, qu'elle indique comme sa nièce, une coupe d'argent et une malcôte de chamelot (de camelot) fourrée de menus-escurons (écureuils), et son péliçon (manteau ou pelisse qui se mettait sur la robe) aussi de menus-escurons. On voit qu'à cette époque le luxe des fourrures étrangères n'avait pas encore pénétré dans l'enceinte de l'abbaye de Remiremont.

1286. Dans les actes de la juridiction de la féaulté, dont l'institution est la plus ancienne dans le val de Saint-Dié, on remarque que les habitans de cette ville avaient le droit de pêcher dans toutes les rivières, les mercredi, vendredi et samedi de chaque semaine, et pouvaient y prendre du poisson autant qu'il leur en fallait pour acheter une chopine de vin, un pain de trois deniers, en donner à six de leurs voisins et en conserver suffisamment pour eux et leur famille; ils jouissaient de la même faveur pendant les autres jours maigres de l'année. Tout homme dont la femme était en *gésine* (en couches), avait la même permission pendant tout le temps que durait sa maladie et sans aucune exception de jours.

Les nouveaux époux étaient tenus, pendant la première année de leur mariage, de planter ou de faire planter en temps et lieux opportuns, chacun un arbre fruitier, comme cerisier, pommier, noyer, prunier, etc., sur les bords des chemins, des routes et aux endroits qui leur étaient indiqués par les officiers de la féaulté, et de les entretenir jusqu'à ce qu'ils fussent en état de se défendre contre la dent des bêtes.

Le comte de Vaudémont, *Henri III*, établit aussi dans chaque ville et village de son comté une justice sous le nom de *féaulté*, composée des plus notables habitans, dont les fonctions étaient de juger les demandes en réparation de troubles et en anticipations. Une féaulté supérieure fut créée par lettres patentes du 12 novembre 1290 dans la mairie de l'Aloeuf; elle devait surveiller les hommes des féaultés subalternes, et, s'il y avait lieu, corriger leurs jugemens; c'était, comme on voit, un véritable tribunal d'appel.

1291. Plus habitués à revêtir la cuirasse et le haubert qu'ils ne l'étaient à porter le rochet et l'aumusse, les chanoines de Saint-Dié firent construire les fortifications de cette ville et s'en réservèrent la garde dans les occasions. On voit dans le testament de *Simon de Parrois*, chantre et chanoine de cette église, un acte annonçant plus l'homme de guerre que le dignitaire pénétré de ses devoirs ecclésiastiques. *Lego*, dit-il, *Henrico, armigero meo, roncinum meum nigrum; item Isabellæ, famulæ meæ, garnichiam meam, feratum nigrum, item lego Domino Simoni, capellaneo, garnichiam meam de ficis foratam, etc.* Ainsi ce chanoine guerrier possédait, indépendamment d'un chapelain, un écuyer et sans doute un cheval de bataille.

1306. Dans la tenue des états-généraux de Lorraine » de cette année, « Sur ce que furent faites meintes » et meintes plaintes que filles de gentilshommes » épousaient ignobles, ce qu'avoient ja fait certaines » veuves enclaines à paillarder; et fut à ce sujet dit » que veuve ou fille de gentilhomme qui épousera » ignoble, perdra privilége, rang et noblesse. Que si » sont deux filles de nobles qu'héritent de père, mère » ou autre que soit, et qu'une d'icelle print (prend) » par mariage mari qui soit roturier et ignoble, fiefs, » si aucuns sont, seront à celle qu'aura homme » de son rang en légitime mariage. » (Mémoires de *Florentin Thieriat.*)

1316. On lit dans un testament fait par un nommé *Laurent*, de Nancy, prévôt de Sainte-Glossinde de Metz, qu'il légua entre autres objets, à cette abbaye, sa bible et ses breviaires, sous la condition très-expresse que les religieuses ne les engageront ni ne les vendront jamais sous quelque prétexte que ce soit; dispositions qui annoncent l'extrême rareté des livres et le prix qu'on y attachait à cette époque.

On a encore une nouvelle preuve que dans le même temps les chanoines de Saint-Dié conservaient le goût des habitudes guerrières; ce que prouve un privilége donné cette année par *Olry* (*Ulrich II*), comte de Ferette, dans lequel ce seigneur assure sa protection au chapitre contre les ducs de Lorraine même. « S'il » arrivait, ajoute-t-il, qu'aucun chanoine ou plusieurs » chevauchassent contre nos, sur nos, sur nos hommes, » sur nos aidans à armes, nos lor porterint (porte- » rions) domaiges partout en Allemaigne et en Lorraine » ou quelcunque (de quelque) manière que nous » pourrions mieulz. » (Histoire manuscrite des grands-prévôts de Saint-Dié, chapitre XV.)

1317. Dans un acte de cette année déposé aux archives du chapitre de Remiremont, on voit que le maire de Bruyères, avant d'être installé dans ses fonctions, était obligé d'apporter au grand-prévôt du même chapitre, un coq blanc, dix poules et cinquante œufs. Cette redevance fort singulière fut supprimée quelques années avant la révolution.

1337. On peut juger de la conduite licencieuse des moines de cette époque par les dispositions d'une ordonnance épiscopale de *Baudouin I*, de Luxembourg, archevêque métropolitain de Trèves, et dans laquelle il leur reproche,

1.° de porter des solers (souliers) détranchiés (découpés) com chevaliers, des chausses de colour, des robes de plous (velours) précieuses et sintes de sintures d'argent avec las ou nowés de soie si étroits com damoiselles, et des flots tant qu'ils peuvent covrir leurs épaules;

2.° De chevaucher à grans espées..... com ung comte, les jambes découvertes;

3.° D'aller de neus et de jor en place commune,

en noces, en danses et *en aultres leu qui ne sont mie à dire;*

4.° De menjaer en jardins avec femes séculières et nonains dissolument, à grans foisons de ménestriers.

1339. Dans un acte passé entre l'abbé de Munster en Alsace et *Jeanne de Vaudémont*, abbesse de Remiremont, il est stipulé que le seigneur abbé aura le droit de pêcher en deçà et en delà des chaumes dans les eaux de l'abbesse, mais que s'il jetait sa ligne au-dessous du pont il devra l'amende.

1340. On lit dans la déclaration des droits seigneuriaux du doyenné de Bains, que l'eau baunale de cette commune (le Baignerot) coulait depuis la vanne du moulin de l'hôpital jusqu'au gué de la *Sachette*. Ce qui doit faire conjecturer qu'à cette époque ou dans un temps antérieur, il existait dans cette ville ou dans ses environs des religieuses auxquelles on avait donné le nom de *Sachettes*, parce qu'elles étaient vêtues d'un habit grossier semblable à un sac, à un sachet. On peut voir à ce sujet l'épisode de la *Sachette*, mère de la *Esméralda*, dans l'admirable roman de Notre-Dame de Paris.

1341. *Jean*, fils du seigneur de Ribeaupierre (Ribauvillers, Haut-Rhin), qui avait arrêté *Bencelin*, abbé de Moyenmoutier, et l'avait conduit dans son château, où il était décédé après une longue détention accompagnée de mauvais traitemens, est condamné par une sentence de *Henri de Blamont*, que *Raoul*, duc de Lorraine, avait commis pour terminer cette affaire, 1.° à payer chaque année à l'abbaye de Moyenmoutier, partie plaignante, dix soudées de terre (*solidata terræ*, portion de terre qui rendait par an un sol) pour l'anniversaire de l'abbé *Bencelin*; 2.° à prendre la défense de cette abbaye, de ses biens et des personnes qui lui appartiennent, envers et contre tous; 3.° à se rendre aux pieds du duc à la prochaine fête de Noël, pour assister à une procession, revêtu d'une simple tunique, sans ceinture, tête nue, et tenant à sa main un cierge allumé; 4.° enfin de faire le pélérinage de *Saint-Thomas* de Cantorberi, à pied et un bourdon à la main, et de n'en revenir qu'avec la permission expresse du duc. Pour garantie de l'exécution de cette sentence, insérée dans l'ouvrage de *Nicolas Vignier*, intitulé *La véritable origine des très-illustres maisons d'Alsace, de Lorraine, d'Autriche et Prusse*, page 164, *Jean*, d'Urbache, *Albert*, de Laveline près de Saint-Dié, et *Renaud*, de Nancy, seigneurs lorrains, se cautionnèrent d'une somme de 1,000 marcs d'argent (9,500 fr. de ce temps, qui vaudraient aujourd'hui 54,730 francs) payables dans le cas où le comte de Ribeaupierre ferait difficulté de l'exécuter en tout ou en partie, sur la promesse qu'en avait faite le comte son père.

1345. Dans un manuscrit du chapitre de Remiremont, on remarque une distribution fort singulière qui était faite aux dames chanoinesses et aux dignitaires de cette église le jour de la nativité de Notre-Seigneur, et qui consistait dans la remise à chacun d'eux d'un certain nombre de petites fioles ou bouteilles, contenant du vin mêlé avec du miel et avec de la sabine. Voici l'article textuel relatif à cette distribution.

« Primo, lou jour de lai glourieuse nativitey Nostre » Signour, doit li prevost *Sainct-Pierre* deimey muy » de vin à la mesure de Remiremont, pour faire la » savinne que se déporte (partage) celui jour par » les secrets de l'englise desouz lai tours à toutes » provendes (prébendes). Li sonriers y doit ung » setier de miel en larme pour mettre avec lou vin, » et devant que on mette l'ou mielz on (au) vin, » chescun des ministres y prent une quarte de vin à » la mesure de la ville, pour tant que il lon portent » et recivent, et qui doient paier une nueve tinne » (vaisseau en bois) où on fait ladite savinne que » demore ès secrets (secrètes dignitaires du chapitre); » encor y prent li sonrières de l'englise six petites » fiales on vin, et de tout lou remenant (reste) fait » on savinne que se deporte (partage) communément » selon la quantitei, et li maistres de l'ospitalz y

» doit mettre lou boix ou herbe que on appelle
» savinne. »

On sait que la sabine était connue dans l'antiquité comme un *emménagogue* très-actif pour rappeler la menstruation supprimée, et que, du temps de Galien, elle servait aussi comme moyen criminel pour détruire le fruit du libertinage et de la séduction; ce qui, suivant la remarque du savant *Hoffmann*, médecin de Basle, avait frappé cette plante d'une sorte d'infamie. Le dictionnaire des sciences médicales cite à ce sujet un distique de *Simon Pauli :*

> Sæpe *Thais*, folio clematis, folioque sabinæ,
> Servat in amissâ virginitate decus.

« Souvent Thaïs, avec la feuille de la clématite et
» celle de la sabine, conserve encore l'honneur après
» qu'elle a perdu la virginité. »

Le même *Simon Pauli* ajoute l'observation fort maligne que l'on trouve cette plante, sinon dans les jardins particuliers, je crois, dans ceux des moines et des vierges cénobites. *Si non aliorum hortis, certè monachorum et virginum cœnobialium* (*credo*).

1351. Un bourgeois de Saint-Dié se soumit en cette année à payer une amende de cent écus d'or pour s'être permis de dire des paroles injurieuses contre les chanoines de cette ville, ses seigneurs, et il s'engagea, lui et ses cautions, par-devant le sonrier de la cour du grand-prévôt, au paiement de cette somme considérable, faute de quoi il consent d'y être contraint par censures ecclésiastiques.

1352. Il était d'usage que les ducs de Lorraine, à leur avènement à la couronne, se rendissent à Remiremont le jour de la division des apôtres (15 juillet), afin d'y porter, dans une procession solennelle, les châsses des saints fondateurs de cette ville, et d'y jurer de maintenir les priviléges et les franchises du chapitre et des habitans; faveur que l'on refusa cette année au duc *Raoul*, parce qu'il s'était permis, quelques mois avant, de retenir les biens d'un oiseleur mainmortable, dont l'abbaye lui avait vainement réclamé la moitié. Voici les cérémonies que l'on faisait dans cette occasion.

Le duc avertissait du jour de son arrivée à Remiremont la dame abbesse et les dames chanoinesses, qui ordonnaient au sénéchal de faire prendre les armes aux bourgeois pour aller au-devant du prince. Le grand écuyer, en entrant avec lui en ville, tenait en main l'épée ducale nue, et la portait dans cet état jusqu'à une pierre carrée relevée des armes de Saint-Pierre, qui étaient aussi celles du chapitre, près de laquelle était un siége couvert d'un dais fort riche, où le duc s'asseyait et où il trouvait la dame abbesse entourée des dames chanoinesses, du clergé et des officiers du chapitre; là, après s'être mutuellement salués par une profonde révérence, la dame doyenne s'approchait du prince et le suppliait de vouloir bien, à l'exemple des ducs, ses prédécesseurs, prêter le serment de défendre l'église, ce qu'il s'empressait de faire sur le livre de l'évangile qui lui était présenté, un genou à terre et un doigt placé sur la pierre dont nous venons de parler, et qui par cette raison était connue sous le nom de *franche-pierre*. Ensuite la dame chantre lui annonçait le répons *Deum time*, que les dames chanoinesses continuaient en se rendant avec le cortége jusque devant l'auditoire ou hôtel-de-ville, où le duc était encore supplié de prêter un second serment toujours suivi du chant du répons *Deum time*, qui était encore continué jusqu'à la porte de l'église du chapitre, dans laquelle le prince entrait et où il prononçait un troisième et dernier serment, une main placée sur l'évangile et l'autre sur les reliques de saint *Romaric*, exposées exprès pour rendre cet acte plus solennel. La cérémonie était terminée par un *Te Deum* chanté par les dames chanoinesses, pendant que le duc, environné des seigneurs de sa cour qui l'avaient accompagné à Remiremont, faisait sa prière à genoux devant le grand autel.

Le lendemain avait lieu la procession, où le prince

devait porter la châsse de saint *Romaric*, patron de la ville ; mais il pouvait s'exempter de ce devoir : dans ce cas il choisissait pour le remplir quatre grands seigneurs de sa cour ; il devait soutenir cette châsse d'une main en marchant après le chanoine hebdomadaire.

Le dais et toutes les décorations employées dans les cérémonies étaient fournies par la ville et appartenaient au grand écuyer. Le cheval sur lequel le prince était monté en arrivant à Remiremont, devait être remis au chanoine semainier, mais il le rachetait ordinairement en argent.

1357. *Geoffroy de Saint-Loup*, en prenant l'office de grand sonrier du chapitre de Remiremont, par un acte du 7 décembre de cette année, s'engage envers ce monastère de lui fournir tous les ans, au terme du premier jour de carême, 3,500 harengs, un muid de *miessaude* et un muid d'huile de noix. La *miessaude* ou *miessaule*, ainsi qu'on l'appelle encore dans le canton de Plombières, est une boisson faite avec du miel, comme l'hypocras, l'hydromel, ou simplement de l'eau jetée sur la cire après que le miel a été exprimé. On donnait aussi à cette boisson, dit le glossaire de la langue romane, le nom de *miés*, *miez*, de *mellarius*, et celui de *miesier* au brasseur qui la faisait ou qui la vendait. *Artevelle*, suivant *Froissart*, livre I.er, chapitre 65, avait été brasseur de miel et avait épousé à son retour à Gand, où il était né, une brasseresse de miel, comme s'exprime l'auteur anonyme de la chronique de Flandre.

1365. Dans un compte de cette année du chapitre de Saint-Dié, et dans plusieurs autres actes d'une date antérieure, il est fait dépense d'un muid de seigle destiné pour le *cornou du moustier* (le corneur de l'église). Il y a apparence, dit M. *de Riguet*, dans son histoire manuscrite des grands-prévôts de ce chapitre, que nous faisions en ce temps ce qui est encore d'usage aujourd'hui (1681) dans plusieurs endroits de l'Allemagne, où, à midi et le soir, un ou plusieurs trompettes montent au clocher pour récréer le peuple par des fanfares. Je pense que cette coutume ne vient pas de cette contrée, comme le croit le docte *Riguet*, mais de l'usage fort ancien établi en France de sonner du cor pour avertir que, le dîner et le souper étant prêts, il fallait aller se laver les mains avant de se mettre à table; de là l'expression *corner l'eau* que l'on trouve dans un grand nombre de fabliaux des 11ᵉ et 12ᵉ siècles, où le nom de *corneur* est ordinairement donné à celui qui sonne de la corne, *cornicon*.

1366. Dans un acte de cette année inséré au mémorial ou livre du doyenné du chapitre de Remiremont, et que l'on croit renouvelé d'un acte beaucoup plus ancien, intitulé droit de haute justice à Remiremont, on voit que déjà, à cette époque fort reculée, ce monastère, fondé vers 620 par saint *Romaric*, seigneur austrasien, paraissait jouir depuis longtemps du pouvoir de délivrer à certains jours de l'année les personnes qui étaient renfermées dans les prisons de cette ville, quels que fussent les crimes qu'elles avaient commis; privilége que confirmèrent les ducs de Lorraine, et les rois de France *Louis XIII*, en 1635, et *Louis XIV*, en 1665.

Voici comment s'exprime l'acte que je viens de citer, à l'article relatif à la délivrance des prisonniers, page 58.

« Item, toutefoix et quantes foix que nos dames
» font aucune procession deue dont elles doient aller
» parmi la ville, se il y avoit nulz (personne, aucun,
» qui que ce soit, *glossaire de la langue romane*)
» prisonniers, fust en seps (ceps, prison), fust en
» maison, elles le pucent (peuvent) osteir et mener
» en lor monastère sens nul dongier de signor ne de
» bourgoix; et en semblent manière quand elles vont
» as croix (à des processions à des croix) à Saint-
» Nabvoir (Saint-Nabord), si elles trouvoient nulz
» prisonnier en mal leu (en mauvais lieu, en prison)
» ou en jayole (géole) par quelconque fait qu'ils

» fussent pris, elles les en pucent osteir et meneir
» avec elles sens nulz dongiers. »

La cérémonie de cette délivrance était toujours faite avant les processions qui avaient lieu à Pâques, le second jour des Rogations et la veille de la Saint-Barthelemi ; à cet effet le maire de la ville, accompagné des jurés et gens de justice, devait se trouver devant chacune des prisons, afin d'en faire l'ouverture à la dame abbesse, et en son absence à la dame doyenne, qui lui disait : maire, y a-t-il des prisonniers dans les prisons ? Sur sa réponse affirmative, cette dame lui en remettait les clefs et lui ordonnait de faire sortir les personnes qui y étaient renfermées, et de les lui amener devant elle. Cette formalité remplie, les prisonniers devaient, suivant le cérémonial de l'église, aller se mettre à genoux près de la dame abbesse ou près de sa représentante, et dans cette posture lui demander grâce, pardon et rémission, et lui déclarer, à sa demande, leurs nom, surnom, âge, demeure et les crimes qu'ils avaient commis, après lesquels aveux, et une nouvelle prière qu'il leur soit fait grâce, pardon et rémission, cette dame leur adressait les paroles suivantes :

« En vertu des droits et priviléges que nous avons
» de notre saint fondateur et de nos saints patrons,
» autorisés par nos arrêts de réglemens, confirmés
» par lettres-patentes de son altesse royale, d'élargir
» et délivrer tous les prisonniers qui se trouveront
» dans les prisons de cette ville, dans le temps de la
» procession que nous faisons à tel jour qu'aujour-
» d'hui, pour tel cas, faits ou crimes qu'ils aient
» commis, nous, tant en notre nom, qu'en celui
» de notre chapitre, vous mettons en liberté et
» vous accordons grâce, pardon et rémission de la
» faute dont vous êtes accusés, à charge que vous
» demanderez pardon à Dieu et à tous nos bons
» saints, les co ps desquels reposent en notre église,
» et promettrez de ne plus retomber, si tant est
» qu'elle vous soit arrivée. »

La dame abbesse ou la personne qui la représentait leur faisait ensuite une admonition et leur ordonnait de suivre la procession, pendant laquelle ils devaient marcher la tête et les pieds nus, portant la chappe du chanoine semainier. Arrivés à l'église, ils étaient placés au milieu du sanctuaire, près des grilles du chanceau, vis-à-vis le grand autel, en se tenant toujours à genoux à tous les offices du jour.

Lorsqu'il n'y avait point de prisonniers, la cérémonie n'en avait pas moins lieu; alors la dame abbesse ou sa représentante déclarait au maire, tant en son nom qu'en celui du chapitre, que s'il y en avait elle les mettrait en liberté, en vertu des pouvoirs et priviléges donnés par les saints fondateur et patrons de l'église, et suivant la possession qu'elle en a pour quelques crimes, cas et faits ce puisse être.

Telles étaient les cérémonies qui avaient lieu à Remiremont pour la délivrance des prisonniers, accordée en vertu d'un droit que le chapitre prétendait tenir de son saint fondateur décédé en 653, et à une époque où certainement n'existait pas encore le village de Saint-Nabvoir ou Saint-Nabord; faveur assez remarquable et dont on ne trouve absolument aucune trace dans la vie de saint *Romaric* ni dans celle de saint *Amé*, qui ont été écrites vers le milieu du VIIe siècle par un moine du monastère du Saint-Mont, et que *Mabillon* a insérées dans ses *acta sanctorum S. Benedicti;* ce qui doit faire soupçonner avec dom *Calmet* que le droit de délivrer des prisonniers à certains jours de l'année, exercé par la dame abbesse, était du nombre de ces priviléges que le chapitre usurpa avec d'autres droits régaliens, comme celui de battre monnaie, sur les faibles descendans de *Charlemagne*, ou qu'il obtint de la libéralité de ces princes, quand ils venaient dans les forêts des Vosges jouir des plaisirs de la chasse et de la pêche.

Peut-être ce droit si précieux était-il une extension, accordée en faveur des grands monastères de femmes, à celui dont jouirent les évêques en vertu des dispositions de l'article CIII du VI.[e] capitulaire des rois des Français, recueilli par *Ansegise*, abbé de Fontenelle, (*Vid. Baluse*, *capitularia regum francorum*, tome I, page 941), qui les autorise à faire ouvrir et évacuer les prisons aux fêtes de Noël, de Pâques et de la Pentecôte, et à interdire l'entrée des églises, aussi long-temps qu'ils le jugeraient à propos, à tout juge qui n'aurait pas déféré à la simple réquisition faite par eux à ce sujet.

Je crois que, sans remonter à une époque aussi reculée, il serait possible de découvrir l'origine de ce privilége des abbesses de Remiremont dans la haute dignité que *Félicité de Lorre*, une d'elles, obtint de l'empereur *Rodolphe de Hapsbourg*, par une charte de l'année 1290, qui la reçoit au nombre des princes de l'empire et lui confère, avec ce titre, le droit de régale sur le temporel de son église. Ce qu'il y a de certain, c'est qu'il n'existe dans les archives du chapitre aucun monument d'une date antérieure à celle de la charte de *Rodolphe*, la première qui élève une abbesse de Remiremont à la dignité de princesse de l'empire avec jouissance de droits régaliens, où il soit question de celui de délivrer des prisonniers, que quelques personnes présument être un reste d'un semblable pouvoir accordé aux vestales à Rome, conjecture qui n'est appuyée sur d'autres fondemens que ceux de la tradition.

1371. Un capitulaire du chapitre de Saint-Dié ordonne que les chanoines ayant office de cette église, ou leurs meignies (leurs familles, leurs domestiques), ne devront plus aller à la chevauchée (course faite à cheval) avec les gens de guerre, pour faire dommage sur autrui, afin qu'on ne s'en prenne point à l'église. Que si quelqu'un contrevient à cette défense, ou que si l'église et ses sujets éprouvaient quelques pertes, on saisira la prébende de l'infracteur jusqu'à pleine indemnité. Le contrevenant ne devait et ne devrait plus en avant officier.

Le même acte prescrit que nul chanoine et nul vicaire ne tienne concubine dans leur maison, sous peine d'excommunication. (Notice sur la ville et le val de Saint-Dié, adressée à la société d'émulation des Vosges par M. *Gravier*.)

1378. L'extrait suivant d'un acte du plaid bannal de la commune d'Uxegney, fera connaître quel était à cette époque, dans notre pays, l'état de la jurisprudence en matière correctionnelle.

Mémoire qu'en l'an mil IIJ[c] LX et XVIIJ fuit aramés (attaqué) et gestié (jeté) ung gaige de bataille en la main de sire *Jéhan Guyot*, qui gouvernait la chancelerie (de Remiremont) pour *Jéhan de Blamont*; c'est assaveoir que *Colin Xagnat*, d'Uxegney, appeloit de paroles desconvenables *Clémence la Roussatte*, du dit lieu, en disant qu'elle était faulse, mauvaise, putain, larnesse, (larronnesse, voleuse) et li maintenroit (lui soutiendrait) et en jestat son gaige. La dite *Clémence* contrefronta (releva) le gaige. *Item* celui gaige aramés fuit demenées par droit et aul coustumes d'ou ban et jusque aux jour de champier (d'aller se battre en champ clos), et à celui jour furent les seigneurs assemblés en une plaice près d'ou poiron (du poirier) des Forges, et fuit ordonnés et commandais par le dit messire *Jehan Guyot* aulx justissiers (justiciers) et ministralx (ministres) d'ou ban que une fosse fuit faiste, ainsi comme faire se doit pour champion, et après ce, les amis et parens vinrent par devers les seignours, c'est assaveoir par devers le chancellier et messire *Jéhan de Dompaire*, chevalier qu'estoit woeis (voué) adonc (alors) d'ou ban, en priant pour Deu (Dieu) que accoir (accord) se fiat (se fît) entre les dessus dits *Colin Xagnat* et *Clémence la Roussatte*, et en fuit fait accoir, sauf le droict moss. le duc, et là estoit *Jéhan Fari*, qu'estoit prévôst de Dompaire pour moss. le duc.

1380. Il paraît d'après la statue de *Jean I.*[er], duc de Lorraine décédé cette année, et que l'on voyait sur son mausolée dans l'église de Saint-Georges de Nancy, que l'usage des chaussures à la *Poulaine* existait encore à cette époque dans cette province, malgré la défense qui en avait été faite par les conciles, et notamment par celui de Lavaur, tenu en 1368. C'était des souliers très-pointus et dont la pointe s'allongeait à proportion de la qualité de la personne qui les portait : elle devait avoir six pouces de longueur pour les personnes aisées, un pied pour les gens riches, et deux pieds pour les nobles. Cette mode, contre laquelle tous les prédicateurs du temps tonnèrent avec une grande véhémence, avait été apportée en France par des Polonais, et prit leur nom de *Polonie*, *Polaine* et *Poulaine*. Elle ne paraît pas avoir existé en Lorraine au delà du règne du duc Jean, ainsi qu'on peut le remarquer sur le tombeau de Charles II, son fils et son successeur, mort en 1431, et sur celui de *Nicolas d'Anjou*, mort en 1473, où l'on voit une autre chaussure en rond et fort large.

1393. Sur les plaintes de messieurs de la chevalerie de Lorraine, le duc ordonna que ceux qui arracheraient les bornes des héritages, seraient condamnés au fouet et à la marque, puis au bannissement perpétuel. Ce réglement fut renouvelé en 1497 et on y ajouta les dispositions suivantes, qui prouvent que les seigneurs de cette époque pouvaient aussi se permettre un semblable moyen d'étendre leurs propriétés.

« Que celui qui sciemment aura arraché bornes » sera puni du fouet et marqué d'un fer chaud sur » les épaules, puis banni à perpétuité sous peine » de la hart; et si seigneurs de fiefs ou tous autres » messieurs de la noblesse, que peut n'estre espéré, » faisait pareil méfait, il serait à toujours mais en » l'indignation de monseigneur, et ne pourroit onc » (jamais, dans la suite) approcher de lui où tiendra » sa cour. » (coupures de *Bournon.*)

1394. *Jéhan de Parrois*, chanoine et ecolâtre du

chapitre de Saint-Dié, dans son testament daté de cette année, donne à *Jéhan*, son fauconnier, son cheval et son oysel, plus douze francs une fois payés.

1408. *Charles II*, duc de Lorraine, à son retour de la guerre contre les Liégeois, fait faire par le sénéchal *de Lenoncourt*, de Nancy, le procès d'un nommé *Romaric Bertrand*, de la province des Vosges, accusé *de tenir assemblée de sabbat et y meneir festin et joyeuse vie*. Ce malheureux, ainsi que dix-huit femmes qu'il avait séduites, furent condamnés à être brulés, comme gens privés avec le diable, et subirent ce cruel supplice. On leur donna des confesseurs, usage qui se pratiquait depuis quelques années en France et qu'on venait d'adopter en Lorraine.

1426. Le pape *Martin*, dans un bref de cette année, ordonna de ne point recevoir de chanoines qu'ils ne fussent issus de mariages légitimes, c'est-à-dire, qui fussent entachés de bâtardises, nonobstant clauses dérogatoires, etc., à moins qu'ils ne fussent docteurs en théologie ou licenciés en droit.

1430. *Drouin Cordemoi* et *Alix*, son épouse, vendirent cette année à *Mengin*, de Rambervillers, quelques rentes seigneuriales sur la ville de Toul, qu'ils tenaient en fief de l'évêque de ce diocèse. Au nombre de ces rentes on remarque les suivantes :

1.° La moitié de la chaussure d'un homme et d'une femme, que les cordonniers devaient leur donner chaque année ;

2.° Une quarte de cire chez le roi des ménestriers ;

3.° Quatre sols de chaque personne qui se mariait et un anneau d'argent de la même valeur ;

4.° Dix sols de *chaque femme qui fait faute ;*

5.° Vingt-sept sols dus au fils du roi des ribauds, pour tous les ribauds et ribaudes qui se battent ;

6.° La même somme pour les ribauds qui se marient ;

7.° Quatre sols à prendre sur la *reine du bordel* ;

8.° Six sols dus par les jottiers (marchands de choux).

Le P. *Benoît*, qui cite cet acte dans son histoire ecclésiastique et politique de la ville et du diocèse de Toul, dit que la *reine du bordel* était une personne préposée aux lessives, qui se font sur le bord de l'eau, étymologie qui me semble tout-à-fait ridicule, et qui a bien l'air d'un calembourg imaginé pour éluder la véritable explication de ce nom. On sait que, dans le moyen âge, les femmes chargées de surveiller les filles publiques, ou tenant des maisons appelées bordeaux, étaient connues sous le nom de *reines du bordel*, comme celles qui y avaient leur domicile étaient désignées sous la qualification de femmes bordelières. Le roi des ribauds devait visiter souvent ces lieux de débauche, afin d'y faire observer une certaine police, pour la sûreté des personnes qui les fréquentaient. *Spon*, dans son histoire de Genève, assure qu'il existait dans cette ville certaines femmes chargées d'une semblable surveillance sur les filles publiques, et auxquelles on donnait communément le nom de *reines du bordel*.

1447. *Charles VII*, roi de France, qui possédait la ville d'Epinal en vertu d'un acte du 11 septembre 1444, écrit au gouverneur, et lui ordonne de commander aux femmes de mauvaise vie de se retirer des rues publiques, d'aller demeurer dans des rues éloignées et de porter une marque destinée à les faire distinguer.

1449. Dans les statuts de la confrérie de Saint-Sébastien, de Remiremont, qui prit plus tard le titre de compagnie des arquebusiers, on lit les dispositions suivantes :

Les confrères sont obligés d'accompagner les nouveaux mariés à peine d'un demi-gros, et les mariés paient un septier de vin.

Les confrères sont obligés d'obéir au maître, aux champs et à la ville, pour la garde et défense de la seigneurie (le chapitre de Remiremont) et ville de Remiremont, sans derouster (désobéir) aux commandemens de la seigneurie, ni ordonnances faites par la ville.

Chaque confrère est obligé de garder, chacun à son tour, par jour de foire, les portes de la ville, sous peine d'un demi-gros, comme aussi à la venue de seigneurie (seigneurs) ou de toutes autres gens pour l'honneur de la ville.

Ils doivent accompagner le roi ou bâtonnier à la poursuite des honneurs nuptiaux, et celui qui sera élu roi doit une somme de six francs à la compagnie tous les ans. Assurément voilà une royauté dont on pouvait se passer la fantaisie à bon marché.

1451. M. *Begin*, dans son excellente histoire des sciences, des lettres et des arts dans le pays messin, dit qu'en cette année il existait *un moulin à papier dessus la Mozelle*; que c'était un nouveau genre d'industrie fixé dans le pays, et qu'on voit dans un compte du 21 juin de cette année, cité dans l'histoire de Metz par des bénédictins, qu'à cette époque la rame de papier fin était évaluée à neuf sols et le gros papier quatre sols six deniers.

1457. Voici un trait qui peint à merveille les mœurs d'une époque d'ignorance, et la joie puérile d'un peuple très-peu habitué à voir des spectacles nouveaux. « L'an mil quatre cent cinquante-sept, au mois » de juillet, dit la chronique de Lorraine, vinrent » les Hongres (Hongrois) à belle compagnie de » noblesse, cinq cents estoient, archevesques, » évesques, princes, comtes, barons; beau les faisoit voir; grants charriots avoient, dessus grantz » bastons étoient. Le duc *Jehan* à Nancy les festoya; » par la porte Saint-Nicolas feirent leur entrée; ils » estoient tous noblement montez, ils avoient des » tambourz gros comme chaulderons dessus des chevaulx; ils frappoient dessus; s'en réjouissoient tous; » aux sons des tambourins dançoient les chevaulx. »

1475. On connaissait déjà à cette époque, en

Lorraine, l'usage des castagnettes dont les Espagnols se servent encore pour s'accompagner en dansant; c'est ce que nous apprenons de la chronique que nous venons de citer en parlant du siége de Nancy fait cette année par les Bourguignons. Elle dit que *Nicolas*, des Grands-Moulins, bourgeois de cette ville renfermé dans la grande tour, « *joyeusement les os menoiens avec sa clochette* (castagnettes) *en disant de bonnes chansons*, et que quand venait le soir, les Bourguignons l'appelaient disant : « hé ! li conteur, hé ! par-fois dis-nous » une cansonette; ledit *Nicolas*, au cantin (au » coin) de la fenestre s'allait mestre, commençoit » à chanter et à sonner ses os. »

On voit aussi dans cette chronique, qu'au siége de cette ville, on se servait encore de flèches pour attaquer les remparts; qu'on en trouvait le matin attachées contre le mur, les autres cheoient (tombaient) ès barbiquettes; cependant l'usage du canon était connu depuis long-temps.

1480. Dans un état de dépense de la table du duc *René II*, du mois d'août de cette année, et dans quelques autres actes de cette époque, on trouve les prix suivans de certaines denrées et de plusieurs objets que l'abondance actuelle du numéraire a dû singulièrement augmenter, indépendamment d'une situation plus prospère dans laquelle se trouvent les consommateurs.

La mesure de vin d'Alsace, de 50 litres, est portée dans cet état à 1 franc, qui vaudrait, d'après l'évaluation du marc d'argent d'aujourd'hui, 2 f 79 c

Celle du vin du pays de 44 litres	9 gros ou	2	07
Un veau	14 gros ..	3	22
Un mouton........ 1 f	»	2	79
Une poule.................	1 gros ..	»	23
Un cochon de lait.........	2 g. 8 den.	»	58
Une livre de riz...........	1 gros ..	»	23
La livre de lard...........	12 deniers.	»	17
Le quarteron d'œufs........	12 deniers.	»	17

Le pot de lait.............		6 liards..	»	06
La livre de canelle..	2^f	»	5	58
La pinte de moutarde......		1 gros ..	»	23
Le resal de blé	1^f	4 gros ..	3	77
La journée d'une blanchisseuse ou d'une couturière...........		1 gros ..	»	23
Celle d'un manœuvre......		2 gros ..	»	46

1490. *René II*, duc de Lorraine, sur les plaintes qui lui avaient été faites des abus glissés dans ses états et pays, par l'ignorance des temps dans l'art et métier de joueur de violon et autres instrumens, desquels il arrivait tous les jours de grands inconvéniens et grands maux, crée et établit un maître dudit métier avec pouvoir de créer des lieutenans particuliers partout où besoin sera, pour réprimer les abus et les mulcter (punir) de l'amende de quarante sols.

Cette ordonnance, qui annonce tout au moins quelque peu de sollicitude de la part de son auteur pour les doux et innocens plaisirs de ses sujets, était sans doute destinée à leur faire oublier les malheurs, les privations qu'ils avaient éprouvés pendant l'occupation de la province par les troupes de *Charles-le-Téméraire*.

Elle défend aux joueurs de violons et autres instrumens de jouer sans avoir été hantés (examinés) par le maître ou son lieutenant, à peine de vingt sols d'amende et de confiscation des instrumens, et elle fixe le droit de han ou examen à sept florins du Rhin, payables la moitié au duc et l'autre moitié à la confrérie et aux maîtres.

1497. On remarque dans les statuts de l'église cathédrale de Toul, recueillis et rédigés par les soins de *Nicolas Le Saxe*, chanoine de cette église, un article intitulé de *festo et episcopo innocentium*, contenant beaucoup de particularités curieuses sur la fête des innocens, célébrée à cette époque dans un grand nombre de diocèses. Cet article est immédiatement précédé d'un autre non moins intéressant sous le titre *de modo sepeliendi alleluia*, et dont voici une traduction fidèle.

« Le samedi de la septuagésime (1), à l'heure de » nones, les enfans de chœur réunis au grand ves- » tiaire y prépareront la sépulture de l'alleluia, et » après le dernier *benedicamus*, ils marcheront avec » la croix, les torches, l'eau bénite et l'encens, et » portant son corps comme dans une cérémonie » funèbre, (portantesque glebam admodùm funebris) » ils passeront par le chœur et se rendront au cloître » en criant et en gémissant (ululantes) jusqu'au » lieu de sa sépulture, et là, après l'aspersion et » l'encens donné par chacun d'eux, ils retourneront » par le même chemin, ainsi que cela est d'ancienne » coutume » (sic est ab antiquo consuetum).

Le reste des statuts ne fait pas connaître ce qui se pratiquait quand l'alleluia sortait de son tombeau, silence qui confirme qu'anciennement on quittait le chant de l'alleluia avec plus de solennité qu'on ne le reprenait. C'était un joyeux convive que nos ancêtres voyaient quitter leurs tables avec regret, et dont le retour, après une absence de quarante jours, n'était célébré par aucune cérémonie particulière.

1514. *Hugues de Hazard*, évêque de Toul, dans les statuts synodaux qu'il publia cette année, nous donne une idée de l'ignorance qui régnait au commencement du 16.e siècle en Lorraine. On y voit que son clergé était si peu instruit que la plupart des prêtres ne savaient pas même le latin, ce qui obligeait le prélat à placer, sous chacun des articles de ses statuts écrits dans cette langue, une traduction en roman ou français vulgaire. » Il a été ordonné, dit-il, que, après

---

(1) Le neuvième dimanche avant Pâques, nommé aussi dans quelques actes *carniprivium*, *carnisprivium* ou *privicarnium sacerdotum*, etc., parce qu'on commençait dès ce jour à se priver ou à s'abstenir de manger de la chair, surtout les ecclésiastiques et les religieux.

» chaque article latin soit mis son roumant, sans vouloir » vitupérer (blâmer) sinon par raison, quelque » nombre entre les gens d'église de nostre cité et » diocèse qui sont tantost ennuyez de lire escripture » qui soit en latin, pourtant s'ensuyt le roumant » de l'article dessus dict. »

1516. On croit, dit dom *Calmet*, que ce fut en reconnaissance du bon accueil que les habitans du village de Laxou firent à la duchesse de Lorraine *Renée de Bourbon*, épouse du duc *Antoine*, à son arrivée à Nancy, que cette princesse les affranchit de l'obligation de venir battre l'eau d'une mare située où se trouve aujourd'hui la place de la Carrière, afin d'empêcher les grenouilles d'interrompre par leur coassement le sommeil des princes. Cette servitude, fort ancienne dans notre province, était aussi exigée des habitans de Monthureux-sur-Saône, de la part de l'abbé de Luxeuil, leur seigneur; ils devaient, en frappant l'eau d'un marais, chanter le refrain suivant :

» Pà (paix) pà, renotte (petite grenouille) pà,
» Veci (voici) mons. l'abbé de Luxeu, que Dieu gâ (garde).

Les habitans des villages de Thons, canton de Lamarche, étaient obligés aussi de venir battre les eaux des fossés du château qui existait au Petit-Thon, et qui appartenait à la maison du *Châtelet*.

1541. Dans un acte passé au mois d'août de cette année, entre le chapitre de Remiremont et *Anne du Châtelet*, abbé de Flubémont, qui sollicitait la grande prévôté de l'église de Remiremont, on lit les conditions suivantes, imposées à ce dignitaire avant d'entrer en fonctions :

Et en outre, le jour de la circoncision de N.-S. octave de Noël, il payera vingt-neuf quartes de vin bon et suffisant, à la mesure de la ville, pour distribuer icelui vin ledit jour avec les fouasses (1) aux personnes et par la manière accoutumée; et pareillement le jour

---

(1) Pain cuit sous la cendre, ou espèce de bouillie faite avec de la farine et des jaunes d'œufs (Glossaire de la langue romane).

des bures (le premier dimanche de carême) trente quartes de vin pour les distribuer celui jour avec les fouasses, ainsi qu'il est accoutumé de le faire d'ancienneté.

Item payera, baillera, doit et sera tenu ledit sieur *Anne du Châtelet*, payer, bailler et délivrer, par lui ou par le lieutenant audit office, auxdites dames ou à leur certain commandement, chacun an, le jour du grand jeudi après les paulmes, demi muid de vin bon et suffisant, à la mesure de Remiremont, et *deux livres de confitures*, cest assavoir de *bonnes dragées*, pour la grande collation faire au chœur de l'église celui même jour, comme il est accoutumé, avec une cuve pour mettre leauve pour faire icelle collation, et avec ce, le jour de Pâques communiant, cinquante et cinq sols et demi toulois, de la monnaie et valeur dessus dites, pour les pastels (pâtés ou repas).

1543. Un arrêt de la cour de Lorraine ordonne que le meix, le jardin et le pré appartenant à un criminel condamné et exécuté à mort, seront rendus à ses enfans, nonobstant les prétentions du receveur d'Arches, qui les avait confisqués contrairement à la coutume et usage du ban de Moulin.

1545. Une ordonnance de cette année, datée de Neufchâteau et rendue par *Christine de Danemarck*, duchesse et régente de Lorraine, et par *Nicolas de Vaudémont*, administrateur perpétuel des évêchés de Metz et de Verdun, aussi régent de Lorraine, défend les duels dans cette province partout où ils seront, ainsi que le jeune duc *Charles III*, qui n'avait alors que trois ans. Elle prescrit aux capitaines et gardes de leur fils et neveu, qu'à l'heure et instant qu'ils verront aucuns des comtes, barons, gentilshommes, officiers, domestiques et autres, de quel état et condition qu'ils soient, tirer épées, poignards, dagues et couteaux pour se combattre en fureur et colère, de les *assommer sur l'heure*, sans porter faveurs, supports et aides auxdits délinquans; tenant quittes et bien déchargés ceux qui ainsi *les extermineront*.

1571. Le chapitre de Saint-Dié décide par un acte capitulaire qu'il serait donné aux vicaires, pendant la durée du carême prochain, chacun trois deniers, au lieu de vin qu'ils avaient coutume de boire à l'église après complies. Et à l'égard de la part des pauvres, dont le nombre avait si singulièrement augmenté *que chacun ne pouvait en avoir*, on arrêta qu'il serait mis une somme en bloc, équivalente au vin ou plus, pour leur être distribuée.

1572. L'abbé *Lyonnois*, dans son histoire de Nancy, fait connaître un procès-verbal rédigé le 20 mai de cette année, constatant la remise au prévôt de Saint-Dié d'un porc condamné à être pendu et étranglé à une potence, par les maire et échevins de Nancy, pour avoir dévoré un petit enfant appartenant à *Claudon François*, de Moyenmoutier. On lit dans cet acte, monument du zèle de nos pères à soumettre à l'action de la justice tous les délits qui leur paraissaient avoir quelque gravité, lors même qu'ils étaient commis par des êtres privés de raison, que ce porc, après avoir été prins (pris) et tenu ès prisons du révérent seigneur abbé de Moyenmoutier, fut conduit par un échevin et un doyen de ce monastère, assistés des *bons hommes* dudit lieu, enbastonnés (armés de fusils, qu'on appelait à cette époque bâtons à feu) à cet effet, au-delà du cimetière de cette commune, près d'une croix, « en ung lieu dit le Combroux, » où il a été délivré ès mains du prévost de Saint-» Dié, et parce que ledit porc est une beste brute, » étant lié d'une corde, les maire et justice le livrent » en ce lieu, et laissent ledit porc lié d'icelle corde, de » grâce spéciale et sans préjudice du droit et usage » de rendre les criminels tous nuds avec leurs procès, » pour en faire les exécutions. »

1577. On trouve dans les actes du chapitre de Remiremont une déclaration qui exclut de l'office de doyen de ladite justice, un nommé *Martin*, à cause de la *malséance qu'il semblait* y avoir à l'égard de sa profession de ménétrier, et de la soumission qu'il avait faite quelque temps avant de fournir, lui deuxième, un fifre et un tambour pour le service de la ville, tant aux montres (revues) de la Pentecôte qu'à la conduite des délinquans hors de Remiremont.

1579. Deux filles de cette ville ayant comparu devant le consistoire, furent déclarées par les médecins qui les examinèrent, être attaquées de la lèpre, et d'après la sentence du juge ecclésiastique, on les transféra à la maladrerie de la Madelaine près de Remiremont. Le jour fixé pour cette cérémonie, à huit heures du matin, le son de toutes les cloches retentit dans la ville; les lépreuses couvertes d'un grand voile noir se rendirent à la porte de l'église paroissiale, où le curé, revêtu simplement d'une aube et d'une étole, vint les recevoir, et après les avoir aspergées d'eau bénite, il leur dit d'aller se placer devant l'autel de la Sainte-Vierge, qui était entouré d'une balustrade destinée à les séparer entièrement du peuple. Dans un coin de cet enclos se trouvait une table couverte d'un linge blanc, sur lequel on remarquait deux housses, ou robes longues, un baril, une cliquette ou tartelle (1), des gants et une pannetière. Les lépreuses entendirent la messe et communièrent dans cet enclos; ensuite le curé, revêtu d'un surplis et d'une étole violette, vint bénir ce qui était sur la table, et dit à ces pauvres filles, en leur présentant les housses : « recevez ces habits » et les revêtez en signe d'humilité, sans lesquels » désormais je vous défends de sortir de votre maison » au nom du Père, du Fils et du Saint-Esprit. » Prenant le baril, il dit : « prenez ce baril pour » recevoir ce qu'on vous donnera pour boire, et

(1) Sorte d'instrument en bois qui fait beaucoup de bruit, dont se servaient les lépreux, et qui sert encore dans beaucoup d'églises pendant les derniers jours de la semaine sainte pour remplacer les cloches. C'est la térette des enfans à la suite des offices des ténèbres.

» vous défends, sous peine de désobéissance, de boire » aux rivières, ruisseaux, fontaines et puits com- » muns; ne vous y lavez en quelque manière ce soit, » ni vos draps, chemises et toute autre chose qui » aurait touché votre corps. » En leur offrant la cliquette, il dit : « prenez cette cliquette en signe » qu'il vous est défendu de parler à personne, » sinon à vos semblables. Si c'est par nécessité et » si vous avez besoin de quelque chose, le de- » manderez au son de cette cliquette, en vous ti- » rant loin des gens et au-dessous du vent. » En leur donnant les gants, il dit : « prenez ces gants » par lesquels il vous est défendu de toucher chose » aucune à mains nues, sinon ce qui vous appartient, » et ne doit venir entre les mains des autres. » Enfin en leur donnant la pannetière, il leur dit : » prenez cette pannetière pour y mettre ce qui vous » sera donné par les gens de bien, et aurez souve- » nance de prier Dieu pour vos bienfaiteurs. »

Ces recommandations faites, le curé leur donna son aumône, et exhorta tous les assistans à suivre son exemple; ensuite il conduisit les lépreuses à la Madelaine avec la croix et l'eau bénite, accompagné du clergé et d'un grand concours de peuple récitant les litanies et plusieurs autres psaumes qu'on terminait par les paroles : *Orate pro eis.*

A la porte de la léproserie, le curé dit : « *hœc » requies mea in sœculum sœculi : hìc habitabo quo- » niam elegi eam.* Voici, ajouta-t-il en se tournant » vers les lépreuses, le lieu qui vous est donné pour » y faire dorénavant votre résidence; je vous défends » d'en sortir pour vous trouver aux places et assem- » blées publiques, comme églises, marchés, mou- » lins, fours, tavernes et autres semblables. Cepen- » dant vous ne vous fâcherez pas d'être ainsi se- » questrées, parce que cette séparation n'est que » corporelle, et que, quant à l'esprit, qui est le » principal, vous serez toujours autant avec nous » que vous le fûtes autrefois, et vous aurez con-

» stamment part et portion à toutes les prières de » notre mère Sainte-Eglise, et comme si personnellement vous étiez tous les jours assistantes au » divin service avec les autres ; et quant à vos petites nécessités, les gens de bien y pourvoieront, » et Dieu ne vous délaissera point ; seulement prenez » courage et ayez patience. Dieu demeure avec » vous ! »

Après ce discours prononcé avec beaucoup d'onction et qui fit verser des larmes à toutes les personnes qui assistaient à cette triste cérémonie, le curé introduisit les deux malheureuses filles dans la maison qui leur avait été assignée et en referma la porte, devant laquelle il planta une croix en bois ; puis se tournant vers le peuple, il recommanda les pauvres lépreuses à sa charité et à ses prières, et défendit expressément de les injurier, de les maltraiter, et dit de se souvenir qu'elles étaient sous la protection de Dieu. Il termina son discours en exhortant les frères convers de cette maison, et leurs parens et amis, de les assister durant l'espace de trente heures, afin de les fortifier dans le nouveau genre de vie qu'elles venaient forcément d'embrasser.

1583. On trouve dans une ordonnance de *Charles III*, duc de Lorraine, du 10 janvier de cette année, un témoignage précieux du soin que ce prince apportait à prévenir la ruine de ses sujets en empêchant la superfluité de leurs dépenses. Cet acte de sollicitude nous offre aussi d'utiles renseignemens sur l'état de la société à une époque peu éloignée de nous. Son Altesse défend qu'en quelque festin de noce ou banquet que ce soit, fait en maison privée, il y ait plus de trois services, savoir : les entrées de table, la chair ou le poisson, le fruit ou le dessert.

« Que dans les festins de noces entre paysans, gens de labeur et autres de telle condition, on serve d'autres viandes que le bœuf, mouton, veau et porc ou autre chair, selon la saison, de ce qu'ils peuvent avoir de leur nourriture ordinaire en leurs ménages, et à chacun service plus de six plats d'assiette à huit personnes au moins par table.

» Qu'entre artisans, gens mécaniques et ceux qui n'ont autres rentes ni moyens que de ce qu'ils peuvent gagner de leurs œuvres manuelles, comme entre toutes autres personnes de bas état et condition, demeurant ès villes et villages, ils puissent servir plus de six plats desdites espèces de chair, chapons, poules, oisons, poulets et pigeons, de leur nourriture, selon la saison.

« Qu'entre marchands, merciers et autres des villes ou bourgades, vendant en détail et à boutique ouverte, tabellions (notaires), sergens de bailli, maires et échevins des villages, aides d'office en son état et de ses chers et très-amés fils et filles, à chacun service plus de huit plats, six desquels devront être des espèces de viandes sus-déclarées, les autres à leur choix.

« Qu'entre autres marchands grossiers, qui ne tiennent boutique ouverte, et ne vendent en détail, à chacun service plus de neuf plats, dont six des espèces avant-dites, les autres à leur choix;

« Qu'entre ceux qui ont grade de noblesse, vivant noblement, sans charge d'aucun office, officiers de justice ès villes et bourgs, comme lieutenans de bailli, maires, maîtres échevins, clercs, jurés, receveurs, gruyers, contrôleurs, avocats, substituts des procureurs généraux, et autres de qualités semblables que ci-dessus spécifiés, et des princes et princesses ses fils et filles, hors qu'ils n'ayent le grade de noblesse, à chacun service plus de dix plats, dont six des viandes ci-devant déclarées, les autres à leur volonté;

« Qu'entre ceux qui portent lesdits offices de justice ou de recette ès villes ou bourgades, qui sont de plus décorés du grade de noblesse, gens de son conseil, des comptes, du bureau, officiers de sa chambre et de ses fils et filles, plus de douze plats, dont six des espèces de chairs, poulailles (volailles) ordinaires, les autres à volonté; et pour ce que l'intention de

S. A. n'est d'ôter aux personnes de qualité et de moyens le pouvoir de traiter èsdits banquets et festins leurs parens et amis honorablement, et s'y esjouir en toute modestie, décence et humilité, ains (mais) de retrancher principalement les superfluités et excès qui se commettent èsdits banquets, entre les paysans et autres personnes de peu de moyen, de petite et basse extraction, elle déclare que son intention n'est pas de comprendre en ce réglement les festins et banquets des gentilshommes, ni gens de son conseil privé, entendant néanmoins qu'autrement le tout soit suivi selon la forme et teneur;

« Qu'en chacun plat les viandes ne pourront être servies que d'une sorte et sans les doubler; comme ne devront être servis deux chapons, deux poules, deux levrauts, deux lapins, deux bécasses et autres pièces semblables; quant aux poulets et pigeonneaux, se pourront servir jusqu'à trois; plumiers et vanneaux jusqu'à deux; alouettes, une douzaine; grues, une demi-douzaine; et de bécasses et autres espèces semblables, jusqu'à trois ou quatre sans plus, à peine de 200 livres d'amende ou autre arbitraire plus haute. Veut que ceux des officiers en chacun lieu qui auront été aux festins et tables privées où ledit réglement aura été enfreint, soient tenus de dénoncer aux prévôts-procureurs ou à leurs substituts, dans trois jours après, à peine de 50 livres d'amende et de suspension de leur état.

Le même prince, dans une autre ordonnance, défendit de servir du gibier dans les auberges « et néanmoins est permis aux gentilshommes étrangers ne faisant que passer, et aux autres personnes autrement respectables à cause de leur qualité, d'y en apporter et s'en faire servir;

« Défense aux prévôts, maires et officiers de justice, d'aller en tavernes pour y banquetter à escot particulier, à peine de 100 francs d'amende et de privation de leurs offices;

« Les habitans ne pourront aller en taverne ors

(à moins) qu'ils y soient conviés par les forains, une fois suivant les ordonnances. »

En défendant les festins de communautés, bans, confréries, fêtes patronales, etc. par un édit du 14 octobre 1586, le duc *Charles III* dit « ne laisseront » lesdites fêtes annales se célébrer, pour le regard » des cris d'icelles, danses et autres ébattemens ac- » coutumés. »

1587. Pour éviter les surprises des religionnaires qui étaient aux environs de Saint-Dié, les chanoines ordonnèrent que six ou sept des plus jeunes d'entre eux se rendraient aux corps-de-garde, tant des portes que de l'intérieur de la ville, et particulièrement la nuit; qu'ils feraient des rondes et patrouilles sur les murailles pour s'assurer si les bourgeois sont exacts à remplir leurs devoirs, et afin de ne pas trop surcharger ces surveillans temporaires, on les exempta du service de l'église pendant tout le temps des troubles.

On trouve dans le voyage de *Montaigne* en Italie une ordonnance de cette année, de M. le baron *de Reynach*, bailli des Vosges, qui offre quelques dispositions curieuses comme témoignage du soin que ce magistrat prenait à cette époque, pour la conservation des bonnes mœurs et le maintien de la tranquillité parmi les étrangers qui fréquentaient alors les eaux thermales de Plombières.

« Inhibition est faite, dit cette ordonnance, à toutes filles prostituées ou impudiques d'entrer auxdits beings, ni d'en approcher de cinq cents pas à peine du fuet (fouet) des (aux) quatre carrés desdits beings, et sur les hôtes qui les auront reçues ou recélées, d'emprisonnement de leur personne et d'amende arbitraire. »

« Sous même peine est défendu à tous d'user, envers les dames et damoiselles et autres fames et filles estant auxdits beings, d'aulcuns propos lascifs ou impudiques, faire aulcuns attouchemens deshonnêtes, entrer ni sortir desdits beings irrévéremment contre l'honnêteté publique. »

« Inhibition est faite à toute personne, de qu'elle qualité et condition, région et province quils soyent, se provoquer de propos injurieux et tendant à querelle, porter armes ès-dits beings, donner démenti, ni mettre la main aux armes à peine d'être punie grièvement comme infracteurs de sauve-garde, désobéissans et rebelles à Son Altesse. »

La disposition suivante est faite pour empêcher l'introduction de la peste qui régnait dans quelques provinces voisines.

« Au surplus est prohibé et défendu à toutes personnes venant de lieux contagieux, de se présenter ny approcher de ce lieu de Plombières à peine de la vie; enjoignant bien expressément au mayeur et gens de justice d'y prendre soigneusement garde, et à tous habitans dudit lieu de nous donner billets contenant les noms et surnoms et résidence des personnes qu'ils auront reçues et logées, à peine de l'emprisonnement de leurs personnes. »

1594. La famille des sires *de Hastall*, en Alsace, tenait à cette époque en fief, de la libéralité des ducs de Lorraine, la seigneurie de Gerardmer, mais le dernier mâle de cette maison étant décédé sans hoirs, le fief retourna entre les mains des donataires. On voit dans un compte de l'année 1594, époque à laquelle il appartenait encore à cette illustre famille alsacienne, que les habitans de Gerardmer devaient lui payer annuellement ou à ses officiers, au château de Soulzbach où elle faisait sa résidence, le jour de la fête de saint *Martin* d'hiver, *quatre lances de bois de sapin non ferrées* qu'on pouvait néanmoins ne remettre que de trois ans à autres. Il était dû aussi par les mêmes habitans et au même terme douze *barizels* (barils) pleins de beurre, tenant environ chacun deux pintes, petite mesure de Remiremont, revenant à quatre pots (dix litres et demi), lesquels barils étaient évalués chacun à dix gros (2f 30), plus deux pintes de poissons consistant en truites vives (vivantes) qu'ils étaient obligés d'apporter au même château, où le seigneur promettait de défrayer les porteurs de ces différentes redevances.

1599. Dans l'acte de droicture des habitans de la même commune, qui appartenait alors aux ducs de Lorraine, on voit que la création du mayeur ou maire avait lieu chaque année, et que cette magistrature populaire devait être déférée *au plus viel prudhomme, pourvu toutefois qu'il fût sans reproche.* Les habitans n'étaient point obligés de suivre la bannière, ni sujets aux hauts jugemens d'Arches, ni forcés d'assister aux montres ou revues du ban de Vagney; seulement en temps d'imminens périls, ils devaient garder les passages des montagnes, et quand il y avait danger, en avertir les officiers d'Arches, ainsi que cela était d'usage d'ancienneté.

Dans un acte du 15 janvier de cette année, contenant les droits, priviléges et autorités des habitans de Dompierre, canton de Bruyères, il est dit :

1.° Que les seigneurs de Parroys ont droit et usage de faire faucher le breuil Saint-Pierre le lendemain de la division des apôtres, et qu'il leur est loisible de prendre un jour plus tôt ou plus tard selon leur commodité. Ce pré étant fauché, la justice du ban doit en faire la visite pour reconnaître si cette opération a été bien ou mal faite, cette visite doit avoir lieu pendant le temps que les faucheurs y sont encore. Le curé ou quelqu'un de sa part et toutes les femmes veuves de ce village sont obligés de le faner.

2.° Le forestier, un pieu à la main, doit y assister avec un char échelé et équipé de bois, comme il le faut pour conduire du foin, un râteau de treize dents, une fourche de fer et une petite hache.

3.° Un habitant dont la femme est en gésine, c'est-à-dire en couche, n'est pas obligé de s'y trouver pour faucher.

4.° La justice du ban doit chaque année s'assembler sur le pré pour la tenue du plaid baunal de Dompierre.

5.° Le bangard est obligé de cuire ou de faire cuire le pain de douze mines de blé pour être distribué aux faucheurs et aux femmes veuves, à chacun une miche de pain, et pour cela les seigneurs lui donnent un resal de blé et autant d'avoine.

6.° Il est obligé aussi de fournir en sa maison, aux seigneurs et à leurs officiers, le même jour, pour leur dîner, un quartier de mouton, la queue après, un demi-septier de vin tenant quatre pintes, et de donner du même pain que celui qui est remis aux faucheurs et aux faneuses.

1601. On trouve dans la jurisprudence lorraine de nombreuses traces de cette vieille aversion que les Germains avaient pour les longs procès, et on lit à ce sujet, dans un arrêt de la chambre des comptes de Nancy, du 31 janvier de cette année, que sur l'appel d'un jugement d'une prévôté du ressort, il a été ordonné aux juges que des ores et en avant, en telles et semblables actions, et qui de leur nature et qualité doivent être traitées sommairement et de plein, ils règlent les parties ou leurs procureurs en telle sorte qu'ils ne leur permettent *de vaguer ni s'égarer à faits impertinens et superflus*, qui ne servent qu'à des frais et dépens aux parties et retardemens de procès.

La coutume de La Bresse, long-temps en usage avant d'avoir été homologuée par le duc *Charles III*, en 1595, dit, article 32 : « Il n'est loisible à personne » plaidant par-devant ladite justice, former ou » chercher incident frivol et superflu, ains (mais) » faut procéder au principal ou proposer autres fins » pertinentes, afin que la justice ne soit prolongée. » Sans doute aujourd'hui, dans notre siècle de loquacité, on se récrierait beaucoup contre de si sages dispositions.

1605. On remarque dans la coutume d'Epinal un trait touchant de l'intérêt que l'on portait aux femmes en couches. « Les femmes accouchées, dit cet acte, » ont d'usage le privilége particulier que, pendant » le mois de leur accouchement, si plus tost elles ne » sont relevées, ne peult estre faicte aucune exécution » sur les meubles estant ès maisons où elles sont gi- » santes, lesquels appartiennent à leurs marits et à

» elles, ou elles si elles sont vefves accouchées d'un
» posthume. »

1607. Il ne paraît pas que la goutte fût très-commune en Lorraine pendant le règne de *Charles III*, de 1545 à 1608, si on doit en juger par l'extrait suivant de l'histoire des évêques de Metz, où l'auteur, en parlant de *Charles*, cardinal de Lorraine, qui mourut de cette maladie à Nancy, au mois de novembre 1607, dit « après avoir été douze ou treize
» ans tourmenté et agité de grandes douleurs, que la
» créance publique attribuait à quelques maléfices. »

1609. *Berthemin*, célèbre médecin du duc *Henri II*, auquel on doit un traité sur les eaux de Plombières, publié cette année par les ordres de ce prince, dit qu'avant lui, ou du moins avant le voyage qu'il y fit, les étrangers qui fréquentaient les eaux thermales demeuraient dans le bain toute la journée, *y grenouillaient* et y fesaient même apporter leur soupe quand ils se sentaient faibles.

Le préambule suivant d'une ordonnance rendue pendant la même année par le duc *Henri II*, contre les duels, est trop remarquable comme peinture des mœurs de l'époque dans notre province, pour ne pas occuper une place dans notre essai chronologique.

» Pour d'aultant obvier aux occasions des querelles,
» disputes, et conséquemment des duels et combats
» qui peuvent s'ensuivre, nous enjoignons, dit ce
» prince, à tous nos vassaux, subjets et autres, se
» trouvant en nos pays, de quelques qualité et condi-
» tion qu'ils soient, de vivre et de se comporter à
» l'advenir, les ungs envers les autres, avec toutes
» douceur, concorde et union, sans s'offenser, inju-
» rier, mépriser ni provoquer à haine, sous peine
» aux contrevenans d'être châtiés exemplairement;
» leur ordonnant de porter l'honneur et respect dus
» aux personnes qui, par leur naissance, profession,
» charges, dignités, âge et services militaires, méritent
» quelque prééminence sur les autres, comme nous
» voulons qu'il en soit fait différence; et ceux qui

» s'oublieront de tel respect, seront châtiés et mulctés » (punis) de peines convenables à la qualité de » l'offensé. Entendons aussi que lesdites personnes » qualifiées s'abstiendront d'offenser les autres, et » les contraindre de ne leur perdre le respect, où » ils y manqueront, seront tenus le reparer, selon » qu'il sera ordonné. »

Cependant, malgré cette ordonnance, ainsi que celles qui furent données par le duc *Henri II*, les 12 janvier 1614 et 13 fevrier 1617, et par le duc *Charles IV*, son gendre et son successeur, le 14 octobre 1626, le duel n'était pas encore regardé comme irrémissible; car on trouve, comme l'assure M. *de Rogéville* (dictionnaire historique des ordonnances et des tribunaux de la Lorraine et du Barrois), dans le registre des insinuations de la cour, plusieurs lettres de grâces accordées à ce sujet pendant le siècle dernier.

1614. A la suite d'une visite du chapitre de Remiremont, faite en vertu d'une bulle du pape par le comte *Louis de Sarége*, évêque d'Adrie, ce prélat fit une ordonnance en cinquante-sept articles, au nombre desquels on en remarque quelques-uns de fort curieux que nous allons faire connaître :

« On ne devra plus faire de banquets ni de buvettes » à l'église. »

Cette disposition avait sans doute pour but d'empêcher qu'aux jours solennels de l'année, la dame abbesse continuât de faire porter dans le chœur de l'église, en présence de tous les assistans, une soupe avec un morceau de bœuf, ou du poisson si c'était un jour maigre, pour le déjeûner des chanoines et chanoinesses qui avaient chanté le *Kyrie;* usage qui ferait soupçonner que peut-être autrefois on avait célébré aussi dans ce monastère la fête des fous, dans la cérémonie de laquelle on voyait, dit le savant *Dulaure*, des ecclésiastiques boire, manger de la soupe, des boudins et des saucisses sur l'autel, et en offrir au prêtre chantant la messe.

« Les dames ne recevront plus aucun étranger » pendant les offices.

» On ne traitera plus des affaires du chapitre dans » le chœur de l'église.

» On abolira les coutumes superstitieuses de porter » du pain, du vin et du sel sur les tombeaux des » trépassés. »

Il existe des preuves que cette coutume subsistait encore à Remiremont en 1622, malgré cette ordonnance.

« Les dames nièces ne devront plus donner de repas » à la mort des dames tantes.

» On exigera l'établissement d'une prébende théo- » logale, *attendu le grand besoin que l'église a de* » *prêtres doctes et savans.*

» Les dames chanoinesses et les dames nièces ne » devront plus lire de livres traitant d'amour. »

1615. Jugement rendu par les échevins de Nancy, sur un procès intenté par les gens de Gugney-aux-Aulx contre une femme de ce village, convaincue, dit cet acte d'une sotte barbarie, de s'être donnée à l'esprit malin, d'avoir accepté de ses poudres, usé d'icelles sur quelque bétail, et d'avoir assisté aux conventicules et assemblées de sorciers, où ledit malin, qui se faisait appeler M. *Persin*, présidait souvent. Pour réparation duquel crime, le procureur d'office de M. *de Vaudémont* et de M.me *Catherine de Lorraine*, abbesse de Remiremont, en leur seigneurie, conclut à ce que cette femme fût mise au carcan, de-là conduite au supplice, attachée à une potence pour y être étranglée, puis son corps brûlé et réduit en cendres, et ses biens confisqués; ce qui fut exécuté! Dans tous les procès que se firent les animaux en vit-on jamais qui furent condamnés à être pendus et brûlés! et il y en avait certainement parmi eux quelques-uns de passablement sorciers.

Une remarque qui a été faite sur le nombre de procédures faites pour crime de sorcellerie, c'est qu'une plus grande quantité de femmes que d'hommes en furent les victimes; était-ce une moindre répugnance de la part des premières d'aller au sabbat, montées à cheval sur des manches à balai ? Nous pensons que c'était plutôt faiblesse d'imagination, curiosité innée et goût pour le merveilleux et l'extraordinaire. Les rabbins disent : *qui multiplicat mulieres, multiplicat veneficas ;* ce qui n'est pas infiniment galant, mais qui prouve que depuis long-temps on croyait que les femmes qui se servaient de poisons pour se venger, étaient aussi des enchanteresses et des sorcières : la mythologie grecque nous en offre un exemple dans *Circée* métamorphosant les compagnons d'*Ulysse* en pourceaux : *Médée* empoisonnant sa rivale, le père de cette princesse, les deux enfans qu'elle avait eu de *Jason*, et s'enfuyant, après avoir commis ces crimes, sur un char attelé de deux dragons.

1624. Dans un départ de cour des assises, en faveur du chapitre de Poussay contre le prévôt de Mirecourt, on voit que ce dernier était obligé d'assister à la foire qui se tenait tous les ans à Poussay, le lendemain de la fête de Saint-Simon-Saint-Jude ; qu'il recevait de la part de la dame abbesse et des dames chanoinesses, pour la garde de cette foire, une somme de soixante sols, une chambre, du bois, un lit, trois pots de vin, trois chandelles de cire, trois chandelles de suif et trois plats de fruits chaque jour qu'il restait dans ce lieu. Indépendamment de ces redevances, la dame abbesse devait encore lui faire porter par un de ses officiers son manteau pour couvrir son lit. Le prévôt, de son coté, était obligé de donner une collation et de faire jouer les violons et autres instrumens sous les fenêtres de l'hôtel abbatial, la veille de cette foire.

1626. Un compte du domaine d'Arches, présenté et affirmé le premier avril, fera connaître ce que coûtait à cette époque un procès criminel. On lit dans cet acte qu'un nommé *Gremillon*, natif de la Bourgogne, ayant été arrêté au Thillot pour fait de sortilège et devination, y fut entendu et ensuite envoyé au lieu d'Arches, où étant, son procès fut adressé au procureur général des Vosges, aux maître échevin et échevins de Nancy, pour port.................... 8^{l} »^{g}

Le procureur général ayant examiné le procès, retint trois jours le messager, puis le renvoya, disant ne pouvoir donner ses conclusions qu'au préalable l'accusé ne fût entendu de nouveau et sur d'autres points, ce qui eut lieu ; le procès renvoyé de nouveau pour port. 8 »

Pour droit des échevins................ 2 »

Le procès lu, lesdits procureur général et échevins concluent à la question ordinaire et extraordinaire ; pour droit du maître qui la donna.................................. 5 »

Pour les trois jours qu'il y a employés .... 8 »

Payé à maître F., chirurgien demeurant à Remiremout, pour sa journée et le rapport qu'il fit d'avoir visité et sondé ledit *Gremillon*. 5 »

Cet accusé ayant subi la question, son procès fut renvoyé de nouveau au procureur général, aux échevins, qui conclurent à la mort. Pour port des pièces........................ 8 »

Pour droit des échevins................ 2 »

Droit du maître pour l'exécution au feu de *Gremillon* .... 10 »

Pour les trois prononcés................ 8 »

Pour le bois, paille, fournis par l'exécuteur, et paiement de l'ouvrier qui a fait la fourche patibulaire............................ 3 »

Pour 79 jours que l'accusé est resté en prison 13 2

Pour les dépenses faites par les officiers d'Arches par plusieurs voyages faits pendant l'information .... 25 »

En tout cent-cinq livres deux gros... 105^{l} 2^{g}

1628. On croyait encore beaucoup à cette époque aux sorts jetés par des personnes mal intentionnées, ainsi que le prouve ce qui arriva au duc *Charles IV*, qui étant subitement tombé malade en revenant de la chasse, fut transporté à Jarville, où on fit venir promptement tous les médecins du pays, pour les consulter et opérer de leur art, comme dit *Guillemin*, secrétaire de ce prince, qui ajoute qu'ils le virent long-temps pâmé, sans pouvoir découvrir le mal, et *sans que leur Hyppocrate y vît goutte*; les uns estiment que c'était une violence extraordinaire et nouvelle d'un battement de cœur qu'il avait quelquefois, les autres ne purent que dire que c'était un sort. Enfin après plusieurs jours, le duc *Charles* étant revenu de cette extrêmité, rentra dans Nancy au milieu des feux de joie que les bourgeois avaient allumés pour se réjouir de son rétablissement; et dans la ferme persuasion que c'était véritablement un sort qu'on avait jeté sur sa personne, ce prince ne voulut pas rentrer dans son palais et alla habiter l'hôtel de Salm.

1633. L'usage de sonner à neuf heures du soir une cloche pour avertir les habitans de couvrir leur feu, et qu'on appelait dans quelques localités *chasse-ribaud*, ne fut établi en Lorraine qu'après la conquête de cette province par les Français. Les personnes chargées de parcourir les divers quartiers de chaque localité s'affublaient, dit l'abbé *Lyonnois* dans son histoire de Nancy, d'une dalmatique blanche chargée de peintures représentant des têtes de morts, des ossemens et des larmes noires; ils tenaient en main une clochette qu'ils faisaient retentir en criant : *réveillez-vous, gens qui dormez, priez Dieu pour les trépassés; prenez garde au feu.* A Nancy, ajoute le même historien, les crieurs ne se contentaient pas de sonner et de crier, mais ils frappaient aux portes pour éveiller les dormeurs, en psalmodiant du ton le plus lugubre leurs tristes lamentations. Ces crieurs, en place de cloches, se servaient d'un pot de terre couvert d'un parchemin tendu comme celui d'un tambour, auquel était attaché, dans le milieu, un boyau ciré, par le moyen duquel ils tiraient des sons lugubres qui accompagnaient leurs lamentations. Ce ne fut qu'à l'arrivée de *Stanislas*, roi de Pologne, duc de Lorraine, en 1737, que ce ridicule usage fut aboli.

1635. Avant qu'il y eût une cure établie au Val-d'Ajol, le prieur d'Hérival envoyait deux religieux de ce monastère pour desservir cette église. On voit dans un tarif du casuel existant à cette époque, et qui devait être plus ancien, qu'une fille appartenant à la première classe des habitans de cette grande paroisse, qui avait la faiblesse de devenir mère avant d'être épouse, était obligée de donner au desservant une vache blanche ou sa valeur, et si elle était de la seconde classe, une pièce de toile blanche. Une poule était le prix de la cérémonie de l'extrême-onction. Au temps pascal, il était d'usage de faire une offrande à son confesseur, et un bassin était placé à cet effet près de chaque confessionnal.

Dans un réglement des droits curiaux des paroisses du Val-d'Ajol et de Fougerolles, de l'année 1572, et que m'a communiqué M. Amé *Jacquot*, médecin à Plombières, il est stipulé que chaque paroissien, maître de maison, sera tenu d'offrir au pasteur le jour de Pâques, à la fête de tous les saints et à Noël, un pain sur lequel on devra placer un denier et un fascicule de chandelles de cire. Les fiançailles coûteront une poule; les mariages cinq sols et un quartier de bœuf ou de chair de porc, avec deux pintes de vin et deux pains; la bénédiction du lit nuptial qui avait lieu la veille, une poule; les naissances, deux pintes de vin et un pain. Le droit de sépulture d'un chef de famille était d'un bœuf, celui d'une femme maîtresse de maison, d'une vache. N'était-ce pas le cas de dire dans ces communes :

La mort a des rigueurs à nulle autre pareilles?

1659. Dans une ordonnance de la dame administrative du chapitre de Remiremont et de la dame sonrière, dame haute, moyenne et basse justicière du Val-d'Ajol, il est défendu à tous les hôtelliers et taverniers de cette commune d'admettre et souffrir en leurs logis, à quelle heure se puisse être, les jeunes hommes non mariés, de quelles qualité et condition ils soient, pour boire par excès. A l'égard des festins de noces et autres qui y peuvent être célébrés, les mêmes dames veulent et entendent qu'ils soient tellement réglés et modérés qu'il ne puisse y avoir plus de huit ou dix au plus des plus proches parens ou amis conviés, sans aucun instrument, tels que violons, hautbois et autres, à peine d'amende arbitraire contre les contrevenans.

1666. On permit pour la première fois, dans un chapitre de chanoines réguliers tenu cette année en Lorraine, aux religieux de se servir de rasoirs au lieu de ciseaux pour faire la barbe, à condition qu'ils n'en useraient qu'une fois par mois, et qu'ils laisseraient un peu de barbe au-dessus et au-dessous des lèvres.

1667. On lit dans un autre compte du domaine d'Arches de cette année, que toutes et quantes fois qu'un sujet de cette prévôté prenait quelque cerf, sanglier et ours, il était tenu de payer au receveur, pour et au nom du duc de Lorraine : savoir, si c'était un cerf, le quartier droit de devant; un sanglier, la hure et le pied droit de devant, et un ours, la tête et l'une des pattes de devant : le receveur devait remettre au porteur une pinte de vin, six sols et deux picotins d'avoine pour son cheval. On voit par ce document historique qu'à cette époque il existait encore des ours dans les environs d'Arches. Le dernier qu'on remarqua dans cette partie des Vosges fut tué dans les forêts de Remiremont en 1709.

Le même compte nous apprend aussi que les capitaines du château construit dans la même commune vers l'année 1080 par *Thierri*, duc de Lorraine, pour protéger de ce côté les domaines de l'abbaye de Remiremont dont il était l'avoué, jouissaient d'un droit de lance consistant dans l'obligation imposée aux habitans, hommes et femmes, qui voulaient passer dans une autre seigneurie que celle du duc, de payer, avant de prendre congé de ses officiers, un fer de lance d'argent, un baril de vin contenant environ une pinte, mesure de Remiremont, une paire de gants et une douzaine d'aiguillettes de charretier ferrées en argent. Un semblable droit de lance était aussi acquitté dans la commune de Gugney-aux-Aulx par les personnes qui venaient s'y marier, et par les nouveaux mariés de cette paroisse, mais il consistait seulement dans le paiement d'une modique somme de cinq sols, partageable entre la dame sonrière du chapitre de Remiremont et quelques seigneurs voués.

1676. Dans une déclaration des droits appartenant au chapitre de Remiremont, faite à la tenue du plaid de Bains, le 9 septembre de cette année, on lit que les habitans du ban de Moulin présenteront de trois ans en trois ans, au sieur Lieutenant-Saint-Pierre du même chapitre, une liste contenant le nom de neuf bourgeois parmi lesquels il choisira un maire; que celui-ci, le jour de son installation, devra remettre au prévôt d'Arches une lance d'argent et un muid de vin. Les personnes qui ont rempli les fonctions de maire dans le même ban ne devront plus, ajoute cet acte, qu'un imal d'avoine pour leur feu, c'est-à-dire pour leur maison.

1684. Un capitulaire du chapitre de Saint-Dié, du 5 août de cette année, renouvelle une ancienne défense faite aux chanoines de faire des visites trop fréquentes chez les filles et femmes, comme aussi les conversations et les manières trop libres. Il interdit à tout chanoine, sous la peine d'une amende de cinquante francs, applicable à la fabrique et encourue *ipso facto*, de danser avec aucunes filles ni femmes, soit aux chansons, soit aux violons et autres instrumens; de mener, allant à cheval, aucunes filles ou femmes en croupe, sous peine de cent francs, applicables à la même fabrique et encourus aussi *ipso facto*; d'aller de nuit avec les mêmes, sous peine de cinquante francs d'amende, encourue comme ci-dessus et également applicable à la fabrique; enfin de mener aucune femme ou fille, ni de jour ni de nuit, par la main ou en se tenant par le bras, sous les peines précédentes. Sans doute que le registre destiné à l'inscription des diverses amendes prescrites par cet acte capitulaire est resté en blanc.

1690. On donnait le nom de *beau sire Dieu* à la dame doyenne, à la dame secrette et aux dames chanoinesses de Remiremont qui, à tour de rôle, communiaient tous les dimanches pour la compagnie. Ce jour, pendant le martyrologe et pendant la messe de tierce, toutes les dames allaient lui faire une civilité par forme de réconciliation.

1696. Dans un dénombrement des droits du curé et du marguillier de Ramonchamp, fait cette année, on lit,

1.° Que lorsqu'il se fait des danses publiques ou particulières ès jours de Saint-Remi et Saint-Blaise et autres, pendant le cours de l'année, les garçons en demandent la permission au curé, qui seul a le droit de l'accorder ou de la refuser, et *qu'il a une danse à son choix*.

2.° Lorsqu'une fille ou une veuve fait un enfant ou est grosse de notoriété, elle doit au même une mesure de toile fine, vulgairement appelée *couvre-chef*, de la longueur de vingt-quatre aunes.

3.° Lorsqu'il va à la procession à Remiremont, le lendemain de la Pentecôte, les chatolliers (chapelains) doivent lui payer son dîner, ainsi que celui du marguillier et du maître d'école qui l'accompagnent; son cheval de monture devait également être défrayé.

4.° Les garçons et les filles de la paroisse, quoiqu'absens depuis plusieurs années, ne peuvent se marier sans une permission de sa part; ceux qui se marient dans l'étendue de la même paroisse lui doivent une poule le jour des fiançailles et un repas le jour de la noce.

5.° Le marguillier reçoit aussi les mêmes redevances d'une poule et d'un repas les mêmes jours.

6.° Le même marguillier est obligé de sonner pour les tempêtes qui surviennent pendant le cours de l'année; à l'égard des gelées qui arrivent au printemps, il n'est obligé de sonner que la première nuit, puis il doit commander ceux dont le tour a cessé l'année précédente, et ainsi de village en village les habitans, avertis l'un et l'autre, viennent remplir la même obligation pour empêcher les gelées.

1698. Encore en cette année, il était d'usage à Remiremont que le maire et le grand échevin, chargés de trois ans en trois ans de la reconnaissance des bornes plantées sur le territoire de cette ville et dans ses forêts, se fissent accompagner dans cette opération par un certain nombre d'écoliers, que l'on avait soin de bien régaler ce jour de friandises, pour les engager à subir la correction du fouet, toutes les fois qu'une nouvelle borne était plantée en remplacement d'une autre qui avait été enlevée au préjudice des intérêts de la ville; correction qui se donnait sur la place même à celui de ces écoliers qu'on pouvait attraper, ou qui se laissait allécher par l'appât d'un morceau de tarte ou de gâteau. Cette coutume rappelle l'obligation imposée par l'article I.er du paragraphe LX, *de traditionibus et testibus adhibendis*, de la loi des ripuaires, à la personne qui, faisant l'acquisition d'une propriété considérable, ne pouvait avoir aucun titre de vente, de prendre douze témoins et un pareil nombre d'enfans, avec lesquels elle devait se rendre sur le lieu où la tradition de la chose vendue était faite et le prix convenu remis au vendeur, et là, en présence de ces témoins, qu'elle prenne possession de l'objet vendu, et, ajoute cet article, qu'elle donne des soufflets et tire les oreilles à chacun des enfans, pour les avertir qu'ils doivent à l'avenir lui rendre témoignage de ce qui s'est passé devant eux. *Et unicuique de parvulis alapas donet et torqueat auriculas, ut ei postmodùm testimonium præbant, etc.*

1699. On peut se faire une idée du luxe qui régnait dans les habillemens du clergé en Lorraine, à la fin du dix-septième siècle, par l'extrait suivant des statuts synodaux de M. *de Bissy*, évêque de Toul. « La plupart d'entre vous, dit ce prélat, portent » à un tel excès l'immodestie dans les habits, qu'il » n'y a plus lieu d'espérer que de simples exhortations

» suffisent pour les rappeler à leurs devoirs. Il y en » a qui ne portent jamais de soutane et qui n'en » ont qu'une sans manches, qu'ils gardent à la sa- » cristie, pour s'en servir lorsqu'ils sont obligés de » faire quelques fonctions ecclésiastiques ; plusieurs » ne portent pas de soutanelles, mais des justau » corps en forme de surtout, avec de grandes » manches, de grandes poches, de gros boutons, » des paremens de velours, en tout semblables aux » habits des séculiers ; il s'en trouve même qui portent » des haut-de-chausses de velours violet, des vestes » de velours noir, des manteaux bleus, des surtouts » ou justau-corps bruns, des cravates, et enfin » tout ce qui distingue les laïcs des ecclésiastiques. »

Une ordonnance du conseil de ville et de la police de Nancy, de cette année, annonce qu'à la même époque et le premier dimanche de carême, les nouveaux mariés de l'année étaient obligés d'aller faire un petit fagot dans la forêt de Boudonville. Vers trois heures tous rentraient en ordre dans la ville, précédés des sergens, des musettes, hautbois et autres instrumens, et se rendaient, les uns à cheval et les autres à pied, suivant leur condition et leur fortune, devant l'ancien château des ducs de Lorraine, avec leur fagot orné de rubans, et se mettaient à danser ou à faire caracoler leurs chevaux : on jetait des cornets de papier remplis de pois grillés avec du beurre et du sel, que l'on nomme encore pois *depchis*, qui, remplissant la cour, faisaient souvent tomber les danseurs et excitaient la gaîté des spectateurs. Le soir, les nouveaux mariés allaient en procession (on lui a donné le nom de procession des *fechenotes* ou petits fagots) au milieu de la place du château, où, après en avoir fait plusieurs fois le tour en dansant, chacun jetait son fagot et l'on en dressait un bûcher, pendant que l'on continuait de danser au son des instrumens. On mettait ensuite le feu au bûcher et l'on tirait au sort les *valentins* et les *valentines* que l'on proclamait dans toutes les rues. Les jours suivans, les valentins envoyaient à leurs valentines de beaux présens et de jolis bouquets. Le dimanche suivant on allumait un grand feu de paille devant la maison des valentins qui ne s'étaient pas distingués, ou qui avaient manqué à cette attention, ce qui s'appelait les *brûler*. Telle était la cérémonie des *fechenotes*, cérémonie fort ancienne dans notre province, et dont l'origine se se rattache peut-être au culte de Diane, déesse des forêts, adorée chez les Leuci, qui lui avaient élevé des temples (1), où vraisemblablement elle était invoquée, comme dans la Grèce, par les jeunes mariés.

Le même jour des brandons, que l'on appelait aussi le *dimanche des bures*, ou simplement, comme dans quelques actes, le *jour des bures*, on allumait également à Epinal un grand feu, près duquel la jeunesse des deux sexes, formant un cercle, proclamait à haute voix les *valentins* et les *valentines*, qui venaient tourner plusieurs fois autour du feu; ensuite un baiser donné par la jeune valentine était la récompense de son conducteur; celui-ci, par gratitude de l'honneur qu'il avait reçu, devait dans la semaine faire un cadeau à sa dame: c'est ce qu'on nommait le *rachat;* s'il y manquait, il était accusé d'infidélité, et était publiquement condamné au feu le dimanche suivant avec son innocente amie (2).

Les *Champs golot*, qui avaient lieu le jeudi saint dans la même ville, étaient un autre usage qui consistait, de la part des enfans, à faire voguer sur les

---

(1) Sur la côte de Léomont était un fameux temple de *Diane*, d'où Lunéville semble avoir tiré son nom (*villa lunæ*). La fontaine et le bois sacré se voient sur le penchant de la montagne; on y a recueilli des médailles de la déesse (*Bexon*, histoire de Lorraine, premier discours, page XXVII).

(2) M. *Ch. Charton* : *Lettres d'un Provençal* insérées dans le mémorial universel de l'industrie française, des sciences et des arts, 1821 — 1822. Il serait à désirer que l'auteur, qui joint au mérite d'une érudition réelle et positive beaucoup de modestie, se déterminât à faire imprimer ces lettres à part; ce serait tout à la fois un acte de patriotisme et un très-beau cadeau qu'il ferait à ses concitoyens.

larges ruisseaux de la rue de l'hôtel-de-ville, de nombreuses chandelles allumées sur de légères planches, en répétant sans cesse le couplet suivant :

Les champs golot,
Les tours relot;
Pâques revient,
C'est un grand bien
Pour les chats et pour les chiens
Et les gens tout aussi bien.

Ce qui signifiait « les champs coulent, les tours (dont on se sert dans les veillées pour filer le chanvre ou le lin) s'en vont, le carême touche à sa fin (et l'on pourra manger de la viande interdite pendant le carême) ce qui fera grand bien aux gens et aux animaux. »

La même coutume existait aussi le soir de ce jour à Remiremont, où les enfans chantaient fréquemment le couplet qui suit, en dirigeant à l'aide d'une baguette leurs frêles embarcations, chargées de petits bouts de chandelles ou de bougies allumées :

Les lourres noyot,
Les champs gotot,
Paîque revié
Sot in gran bié
Pour les geo et les chié.

C'est-à-dire que « les veillées touchent à leur fin, se noyent, que la neige commence à fondre, à couler dans les champs, et que Pâques qui revient (en nous débarrassant de l'abstinence des viandes défendues pendant le carême) fera un grand bien aux gens et aux chiens. »

Quant au nom de *lourres* ou *lours* donné à Remiremont aux veillées d'hiver, je pense que cette expression a sa signification dans le vieux mot austrasien *ewre* qu'on prononçait *eoure*, faire travailler; peut-être vient-il aussi de l'usage qu'on avait, dans quelques contrées voisines, de faire entrer dans les veillées un joueur de musette ou de *loure* pour faire danser les jeunes filles, et les remettre de la frayeur causée par maintes histoires de loups-garoux et de revenans, véritables épopées du moyen âge, racontées par de vieilles femmes autour du foyer domestique.